DEM EINZELNEN EIN GANZES
A WHOLE FOR THE PARTS

JAN PAPPELBAUM

BÜHNEN / STAGES

HERAUSGEGEBEN VON ANJA DÜRRSCHMIDT

Theater der Zeit

INHALT

CONTENTS

VORWORT

Fragt man Jan Pappelbaum, was er unter Bühnenbild versteht, so bekommt man erstaunt zu hören, dass dessen Zweck zunächst in der Schaffung einer Spielfläche besteht, auf der die Schauspieler gut zu hören und zu sehen sind. Und er dürfte mit dieser Aussage zu den Bescheidensten seiner Zunft zählen, denn nicht wenigen Kollegen scheint die eigene Idee wichtiger als die Schaffung optimaler Aufführungsbedingungen. Zuerst der Zweck also, und dann die Kunst? Da hatte man sich doch kernigere, selbstbewusstere Aussagen erhofft. Und wenn Pappelbaum sich auch trotz wiederholtem Nachfragen nicht zu mehr provozieren lässt, und beim Interviewer beinah schon die Enttäuschung angesichts von so viel Pragmatismus einsetzt, beginnt man im zweiten oder dritten Gespräch mit ihm langsam zu verstehen, was hinter dieser Haltung steckt und vor allem, was sie ermöglicht. So zumindest erging es mir bei meiner Annäherung an seine Arbeiten.

Pappelbaum studierte zunächst Architektur in Weimar und kam über die dortige Studentenbühne zum Theater. Kein Wunder, dass der Ensemblemensch Pappelbaum den einsamen Kreativposten des Architekten gegen den Kollektivprozess am Theater eingetauscht hat. Aber auch Weimar und das Bauhaus haben sich ihm stark eingeprägt – Wurzeln, auf die er sich auch heute noch bezieht; eine Ästhetik, die ihre Schönheit und Besonderheit aus eben dieser programmatischen Funktionalität bezieht, die Pappelbaum auch für das Theater immer wieder proklamiert. Aber genau hier liegt ja das Schwierige, das Schwierigste vielleicht überhaupt – in der Einfachheit das Besondere, in der Form die Schönheit aufgehen zu lassen. Immer wieder schaut sich das Theaterpublikum in den Vorstellungspausen Pappelbaums Bühnen an, versucht, um sie herum zu gehen, sie von allen Seiten, als Ganzes zu erfassen. Szenen, die wie aus einer Galerie anmuten, Bühnen, die wie Skulpturen wahrgenommen werden.

Und tatsächlich entwickeln die von ihm geschaffenen Räume ihre Kraft aus einer verblüffenden Einfachheit. Die stärksten Eindrücke hinterlassen so simple wie überraschende Konstellationen: das unbewohnbare Traumhaus in „Hedda Gabler" – ein Sofa, eine Verandatür, eine Betonmauer, darüber ein riesiger Spiegel, der dem Zuschauer neue und andere Perspektiven auf und in die Szenerie ermöglicht; die hohe, herausfordernd schräge Spielfläche in „Kopien" –

If you ask Jan Pappelbaum, what he thinks stage design means, you will be astonished to hear that the purpose of a set is first and foremost to create an area for acting on which the actor can be seen and heard well. And with this statement Pappelbaum surely places himself among the most modest practitioners of his trade. More than a few of his colleagues see their own ideas as more important than the creation of optimal conditions for a performance. So the function first, and then the art? You might have hoped for a more meaty, more self-assured answer. And when, in spite of repeated prompting, Pappelbaum does not let himself be provoked into saying more the interviewer is almost disappointed by so much pragmatism. Only in the second or third conversation with him do you slowly begin to understand what is behind this position and above all, what this position makes possible. At least that is what happened to me as I became acquainted with his works.

Pappelbaum first studied architecture in Weimar and found his way to the theater via the student theater there. No wonder that an ensemble person like Pappelbuam would trade the lonely creative post of the architect for the collective process in the theater. But Weimar and Bauhaus had a strong influence on him, one he continues to come back to even today: an aesthetic that derives its specificity and beauty from exactly the same programmatic functionality that Pappelbaum claims for the theater. But exactly therein lies the difficulty, perhaps the most difficult thing of all – letting the extraordinary merge into the simple, beauty into form. Again and again theater audiences look at Pappelbaum's stages in the intermissions, tempted to walk around them, to grasp them from all sides as a whole. Scenes that give the impression of being from a gallery; stages that are perceived as sculptures.

And indeed the spaces that he creates do draw their power from an astonishing simplicity. The strongest impressions are made by constellations as simple as they are surprising: the unlivable dream house in "Hedda Gabler" – a sofa, a door to the veranda, a concrete wall, over it an enormous mirror in which new, different perspectives on and into the scenery are portrayed to the audience; the high, challengingly inclined playing area in

"A Number" – the figures are enlarged and become observable as if they were on a microscope slide; the no man's land of urban and civilisatory borders in "Woyzeck" – a quarry with a drainpipe, the apartment blocks vaguely discernible in the distance; the chaos that resides in an apartment building with a broken elevator and thus in its inhabitants in "The Arabian Night" – a quadratic raised stage with one door for all apartments, showers, etc., together with one set of stairs going up and another going down; the wall of boards in "Man is Man" – it is climbing wall, bar and, when the army, the war moves on, easy to take down and take along. Faust's abstract worlds of thought – the empty playing field –, against Gretchen's crumbling petit bourgeois idyll – a confined cube for living that keeps disintegrating further and further ...

The present volume allows an unusual and intensive insight into the work of Jan Pappelbaum. The chronologically presented works show the development of an aesthetic, the handwriting of the approach to set design specific to Pappelbaum. It can be read in the images of the sets themselves, but also in the contributions by allied actors, directors, or authors, in the research material presented here, and in the many drafts seen here that preceded the final set solutions.

I would like to thank Jan Pappelbaum for the extensive material he provided to us, for his assistance with the selection, and for his openness to making public work materials, discarded models, and other things usually kept locked up.

In this way, we can take a peek into a workshop that tells us a lot about the phenomenon of set design and the process of theater.

Anja Dürrschmidt

wie auf einem Mikroskopierglas werden die Figuren hier vergrößert und beobachtbar; das Niemandsland urbaner und zivilisatorischer Ränder in „Woyzeck" – eine Schottergrube mit Abflussrohr, in der Ferne die Hochhaussiedlung erahnbar; das Durcheinander in einem Hochhaus mit kaputtem Fahrstuhl und daraus folgend auch in dessen Bewohnern in „Die Arabische Nacht" – ein quadratisches Spielpodest mit einer Tür für alle Wohnungen, Dusche etc., dazu eine Treppe nach oben, eine nach unten; die Bretterwand in „Mann ist Mann" – Eskalierwand, Kneipe und beim Weiterzug der Truppe, des Krieges einfach auseinander und mit zu nehmen; Fausts abstrakte Denkwelten – die leere Spielfläche –, gegen Gretchens zerbröckelnde Kleinbürgeridylle – ein enger Wohnkubus, der immer mehr auseinanderfällt ...

Der vorliegende Band ermöglicht einen ungewöhnlichen und intensiven Einblick in das Werk Jan Pappelbaums. Anhand der chronologisch dargestellten Arbeiten zeigt sich die Entwicklung einer Ästhetik, die Handschrift des ganz eigenen Pappelbaumschen Bühnenbildansatzes. Ablesbar in den gezeigten Bühnenbildern selbst, aber auch in Beiträgen der mit ihm verbundenen Regisseure, Schauspieler oder Autoren, im präsentierten Recherchematerial und den hier einsichtbaren zahlreichen Entwürfen, welche den endgültigen Bühnenlösungen vorangegangen sind.

Ich danke Jan Pappelbaum für das umfangreiche Material, welches er uns zur Verfügung gestellt hat, für die Mitarbeit bei der Auswahl und für die Offenheit, Arbeitsmaterialien, verworfene Modelle und anderes gewöhnlich unter Verschluss Gehaltenes öffentlich zu machen.

Auf diese Weise ist ein Blick in die Werkstatt entstanden, der viel über das Phänomen Bühnenbild und über den Prozess Theater verrät.

Anja Dürrschmidt

Selten, scheint mir, hat sich die Ordnung der Welt so eindeutig offenbart, selten nur der Logos des Seins weiter geöffnet als in dieser Zeit des vermeintlichen Chaos. – Denn wir alle sind aufgerüttelt von elementaren Ereignissen, wir hatten Zeit, Vorurteile und satte Genügsamkeit von uns abzutun. – Wir wissen als Schaffende selbst, wie sehr verschieden die Bewegungskräfte, die Spannungsspiele im einzelnen sich auswirken. – Um so mehr ist es unsere Aufgabe, der Aufgeregtheit die Besinnung entgegenzusetzen, der Übertreibung die Einfachheit, – der Unsicherheit – das klare Gesetz; – aus der Energiezertrümmerung die Energieelemente wiederzufinden, aus den Elementen ein neues Gesetz zu formen. – Faßt zu, konstruiert, umrechnet die Erde! – Aber formt die Welt, die auf euch wartet. – Formt mit der Dynamik eures Blutes die Funktionen ihrer Wirklichkeit, erhebt ihre Funktionen zu dynamischer Übersinnlichkeit. – Einfach und sicher wie die Maschine, klar und kühn wie die Konstruktion. – Formt aus den realen Voraussetzungen die Kunst, aus Masse und Licht den unfassbaren Raum. – Aber vergesst nicht, daß das einzelne Schaffen nur aus der Gesamtheit der Zeiterscheinungen zu begreifen ist. – Es ist an die Relativität ihrer Tatsachen ebenso gebunden, wie Gegenwart und Zukunft an die Relativität der Geschichte.

Erich Mendelsohn, 1923

Seldom, it seems to me, has the order of the world so clearly shown itself, seldom the logos of existence been open wider than in our time of alleged chaos. – For we are all shaken up by elemental events; we have had time to dispose of prejudice and content frugality. – As creators, we ourselves know how very differently the motives and the play of tensions work out individually. – All the more then, it is our task to oppose agitation with contemplation, exaggeration with simplicity, – and uncertainty – with a clear law; in the destruction of energy to find again the elements of energy, to form a new law from the elements. – Grab hold! Construct! Recalculate the earth! – But form the world that is waiting for you! Form the functions of its reality with the dynamic of your blood, raise its function to dynamic transcendentality! Simple and certain like a machine, clear and bold like construction. – From the real conditions, from matter and light form unconceivable space. – But do not forget that individual creation is only comprehensible in the totality of the phenomena of the times. – It is bound to the relativity of its facts, just as the present and future are bound to the relativity of history.

Erich Mendelsohn, 1923

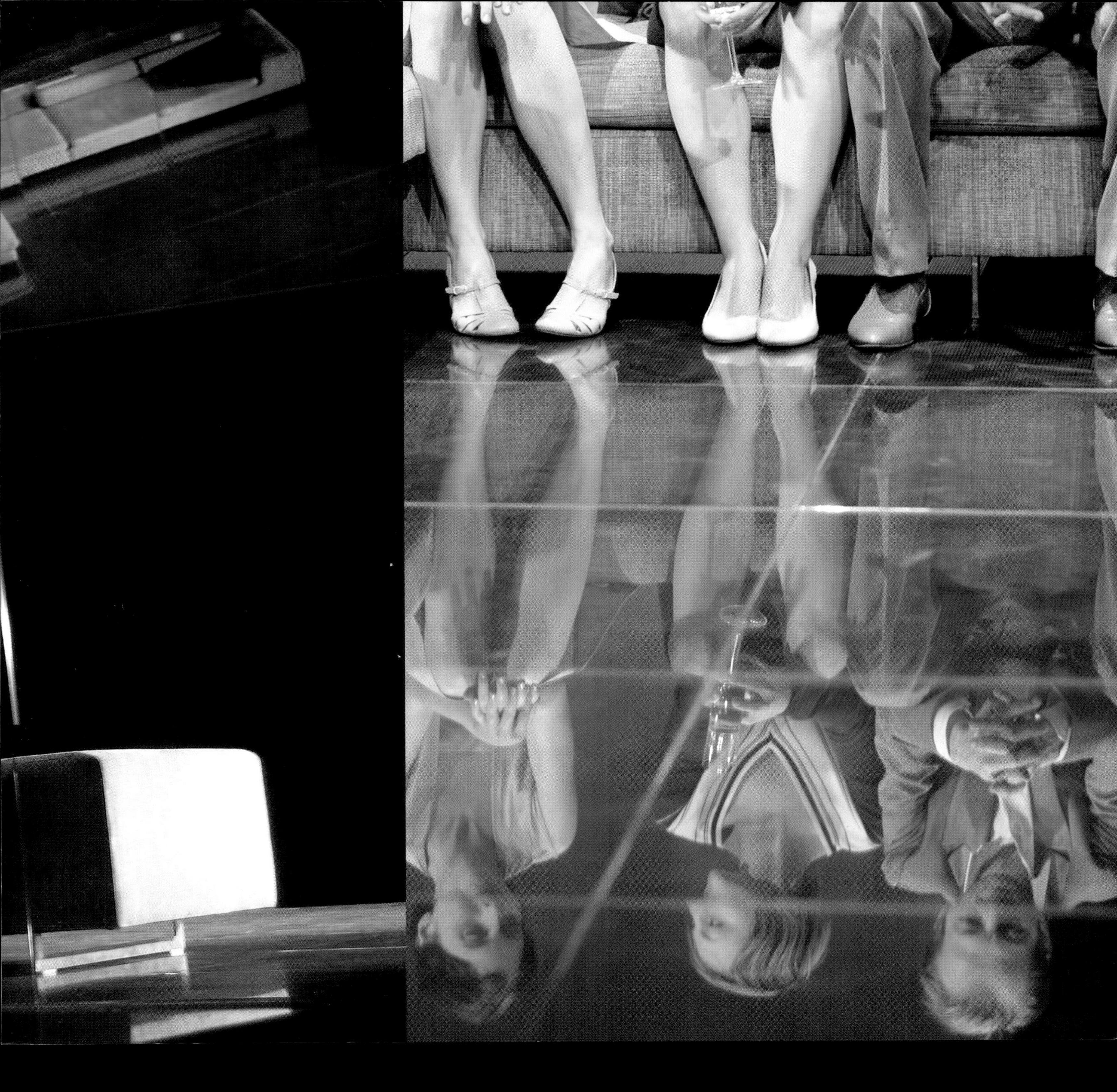

BEI IBSEN SOLLTE MAN SITZEN KÖNNEN

Jan Pappelbaum im Gespräch mit Anja Dürrschmidt

Anja Dürrschmidt: Du hast dem Buch ein Zitat von Erich Mendelsohn, Architekt des Schaubühnen-Baus, vorangestellt. Mendelsohn formuliert darin, Aufgabe der modernen Kunst sei es, der Aufgeregtheit die Besinnung, der Übertreibung die Einfachheit und der Unsicherheit das klare Gesetz entgegenzusetzen. Gibt es für dich tatsächlich so etwas wie einen Auftrag der Kunst, besondere Anforderungen an die Kunst, resultierend aus den modernen Lebensformen?

Jan Pappelbaum: Diesen Ausspruch habe ich mir vor einiger Zeit auf die erste Seite meines Arbeitsbuches geschrieben. Mich interessiert daran, dass Mendelsohn Kunstmachen nicht allein als einen Akt der Schöpfung versteht. Er will stattdessen mit dem in der Welt Vorhandenen umgehen, dies zusammenführen, umlenken und neu definieren. Das Neue entsteht aus der bewussten, schöpferischen Anordnung unterschiedlicher, bekannter Einflüsse. Dies trifft auf die Kunst im Allgemeinen, aber besonders auf die Arbeit des Bühnenbildners zu. Das Entwerfen von Bühnen besteht meist daraus, Eindrücke und Stimmungen zu sammeln, Dinge und Bilder zusammenzusuchen und diese neu und klar zu ordnen. Die Welt gibt sich nur in der Einfachheit, im Modell zu erkennen. Stehen vor allem die eigenen, neuen Gedanken des Künstlers im Mittelpunkt, kann dies nicht geschehen.

Welche Funktion erfüllt die daraus entstehende Bühne? Wie weit geht ihre ästhetische Autonomie, was muss sie für Regie, Schauspiel und Publikum leisten?

Theaterspielen braucht eine Bühne. Der Spieler muss gesehen und in einer Welt wahrgenommen werden. Man braucht etwas, worauf man steht, wovor man steht. Und man braucht etwas, woher man kommt. Seitdem das Theater nicht mehr in seiner Gegenwart spielt, braucht man außerdem noch etwas, was den Ort und die Zeit der Welt beschreibt. Die Bühne ist kein eigenständiges Kunstwerk. Da bin ich stark vom Bauhaus und meiner Ausbildung in Weimar beeinflusst: Der Bühnenbau ist zunächst einmal Handwerk. Jeder Theaterabend ist ein Gesamtkunstwerk aus der Arbeit verschiedener gestaltender Künstler, darstellender, denkender, bildnerischer, die in einer

Anja Dürrschmidt: You prefaced the book with a quotation from Erich Mendelsohn, the archictect of the Schaubühne building. In it Mendelsohn says that the role of modern art is to oppose agitation with contemplation, exaggeration with simplicity, and uncertainty with a clear law. Do you think there really is such a thing as the role of art, a special demand on art, that results from modern forms of living?

Jan Pappelbaum: I wrote this sentence on the first page of my work notebook a while ago. What interests me about it is that Mendelsohn does not understand making art as an act of creation alone. Instead, he wants to deal with what exists in the world. He wants to combine these things, turn them around, and redefine them. Something new arises from the conscious, creative arrangement of various, known influences. That is true for art in general, but especially true for the work of a set designer. Designing sets usually consists of collecting impressions and moods, putting together objects and images, and putting them in a new and clear order. The world only reveals itself in simplicity, in models. If the personal, new thoughts of the artist are the center of attention, this cannot happen.

Which function does the stage set have that results from this process? How extensive is its aesthetic autonomy, what does it have to offer the director, actors and audience?

Theater needs a stage. The actor has to be seen and perceived in a certain world. You need something to stand on, to stand in front of. And you need something to come from. Since theater is no longer performed in its own present, you need also something to describe the place and time of this world. The stage is not an independent work of art. In this point I have been very strongly influenced by Bauhaus and by my education in Weimar: building a set is first of all a craft. Every night at the theater is a complete work of art by many creative artists, actors, thinkers, visual artists, who work within a certain hierarchy. I work

YOU SHOULD BE ABLE TO SIT IN AN IBSEN PLAY

An interview with Jan Pappelbaum by Anja Dürrschmidt

mostly for the theater. Together we search for solutions, for an idea for a production and within this I offer variations that make the play possible. Alongside directing and dramaturgy, the set has above all an ordering and structuring function. When a collaboration is really good, then a work of art can be created in which the individual contribution shines beyond its role as part of the whole.

Looking at your work, one notices that there is nothing superficially recognizable, no clear Pappelbaum handwriting. Are you interested in a creative credo such as one sees in Anna Viebrock's work? Or does your work arise out of another impulse?

Is it really as extreme as you say? I hope, of course, that you can find recurring, recognizable characteristics in my work, but maybe they are to be found less in the aesthetics of the surface than in the structure of the basic constructions. I search for simple, subtle basic arrangements and often work with similar elements. The Schaubühne does not have an unmistakable aesthetic like you might find at the Volksbühne. That is because we have a different way of dealing with the dramatic model in our theater work. We feel strongly obligated to the texts. We work from the necessities of the material and derive an individual solution for every production. Different aesthetics are produced when you work that way. However, while dealing with works of bourgeois drama in the past few years, an aesthetic arose that comprehensively stood for the dreams of our bourgeois world and attached itself to the surfaces of the materials.

The Schaubühne began in 1999/2000 mainly as a theater for contemporary plays. In the meantime there are also many classics in the repertoire, all of which – aesthetically and by their modern translation and interpretation – play in the present time.

bestimmten Hierarchie zusammenarbeiten. Ich arbeite vor allem für das Schauspiel. Wir suchen gemeinsam nach einer Lösung, einer Idee für eine Inszenierung, und innerhalb dieser biete ich dann Varianten an, die das Spiel ermöglichen. Die Bühne hat neben Regie und Dramaturgie vor allem eine ordnende und strukturierende Funktion. Wenn eine Zusammenarbeit sehr gut ist, kann daraus ein Kunstwerk entstehen, bei dem der einzelne Beitrag über die Zuarbeit zum Ganzen hinausstrahlt.

Betrachtet man deine Arbeiten, fällt auf, dass es keine vordergründige Wiedererkennbarkeit, keine eindeutige Handschrift Pappelbaum gibt. Interessiert dich ein gestalterisches Credo, wie man es zum Beispiel bei Anna Viebrock findet oder entstehen deine Arbeiten aus einem anderen Impuls heraus?

Ist es wirklich so krass, wie du es sagst? Ich hoffe natürlich, es gibt auch bei mir wiederkehrende, erkennbare Merkmale, aber vielleicht finden sich diese weniger in der Ästhetik der Oberflächen als in den Strukturen der Grundbauten. Ich suche nach einfachen, raffinierten Grundordnungen und arbeite dabei oft immer mit ähnlichen Elementen. Für die Schaubühne gibt es keine unverwechselbare Ästhetik, wie man sie vielleicht an der Volksbühne finden kann. Das liegt auch daran, dass in unserer Theaterarbeit ein anderer Umgang mit der dramatischen Vorlage stattfindet. Wir fühlen uns stark den Texten verpflichtet, arbeiten aus den Notwendigkeiten des Materials heraus und leiten daraus eine eigene Lösung für die jeweilige Inszenierung ab. Aus einer solchen Arbeitsweise entstehen unterschiedliche Ästhetiken. Allerdings entstand in den letzten Jahren in der kontinuierlichen Arbeit an Werken der bürgerlichen Dramatik auch eine Ästhetik, die übergreifend für die Träume unserer bürgerlichen Welt stand und sich stark an den Oberflächen der Materialien festmachte.

Die Schaubühne startete 1999/2000 als Theater für vor allem zeitgenössische Stücke. Inzwischen stehen auch viele Klassiker auf dem Spielplan, die allesamt – ästhetisch und durch eine moderne Übersetzung und Lesart – in der Jetztzeit spielen.

Die Schaubühne lebt von großen Räumen. Dafür sind wenige zeitgenössische Stücke geschrieben. Oft brauchen diese eine Nähe, die sich in unseren Sälen schwer herstellen lässt.

Wichtiger ist aber doch der Begriff des zeitgenössischen Theaters. Das meint nicht nur zeitgenössische Stücke, sondern vor allem eine zeitgenössische Ästhetik. Damit beschäftigen wir uns, wenn wir historische Stoffe bearbeiten. Durch die Verschärfung der sozialen Situation des Einzelnen gewinnen auch die bürgerlichen Strukturen wieder an Kraft. Insofern sind diese sehr gut geschriebenen Stücke heute wieder von großer Aktualität. Eine Aktualität, die sich natürlich nur einstellt, wenn auf allen Ebenen – in Sprache, Musik und Optik – die Figuren Produkte unserer Zeit werden.

Tatsächlich war „Dantons Tod“ eine Ausnahme. Das einzige Stück, das ihr – was natürlich auch am Stoff liegt – nicht ins Heute geholt gehabt. Dennoch gibt es auch da eine Setzung außerhalb der historischen Zeit: eine an Brecht oder auch Grotowski angelehnte Theaterästhetik und eine das Ausstellen und Aufzeigen unterstützende Bühnensituation.

„Dantons Tod“ ist der Beginn unserer Auseinandersetzung mit der eigenen Bürgerlichkeit. Wir sind jetzt in unserer Biografie in einer Phase angekommen, wo man in der Stadt bleiben möchte, wo man Festengagements hat, eine Familie gründet. Man hat nicht mehr die Chupze zu sagen: Wenn das mit diesem Theater so nicht glückt, wenn wir nicht das machen können, was wir wollen, dann ziehen wir weiter. Stattdessen überlegt man, wie das Programm aussehen muss, damit das Theater weiter existieren kann. Das ist ein Grund, warum sich meine Generation als Neubürger mit diesen Stücken beschäftigen sollte.

„Dantons Tod“ spielt nach einer Revolution und beschäftigt sich mit den menschlichen Situationen dieser Nach-Zeit. Mit privaten Interessen, die im Konflikt mit denen der Gemeinschaft stehen. Es gab eine gemeinsame Kraft beim Sturz des Alten, aber als es daran ging, das Neue zu gestalten, stellte sich heraus, dass da sehr verschiedene Motivationen dahinter standen. Dennoch lässt sich „Dantons Tod“

The Schaubühne strength is its big spaces. Few contemporary plays are written for such spaces. These plays often need a closeness that is hard to produce in our halls.

The concept of contemporary theater is more important. I mean not only contemporary plays, but above all a contemporary aesthetic. That is what we work on when we adapt historical materials. By accentuating the social situation of the individual, the bourgeois structures gain force again. To that extent, these well-written plays have a great relevance again today. A relevance that naturally only comes when on all levels – in language, musically, and visually – the characters are products of our time.

"Dantons Tod" ("Danton's Death") really was an exception. The only play that you did not bring into the present – which of course was due to the material. But even there, there is a placement outside historical time: a theater aesthetic indebted to Brecht or even Grotowski and a stage situation that supports presentation and disclosure.

"Dantons Tod" ("Danton's Death") is the beginning of our grappling with our own bourgeois nature. We have arrived in a phase of our lives in which we want to stay in the city where our steady engagements are, start a family. You don't have the chutzpah anymore to say: if it does not work out with this theater, if we cannot do what we want, then we will just move on. Instead you start thinking about how the repertoire has to be for the theater to continue to exist. That is a reason why my generation as new bourgeoisie should deal with these plays.

"Dantons Tod" is set after a revolution and deals with the human situations of this post-time. With the private interests that are in conflict with the community. There was a common force when the old was overthrown, but it turns out that many different motivations were behind it. Still, "Dantons Tod" does not let itself be transported easily into the present. In order to not damage the play, the amounts have to be correct. We have not experienced this height from which you can fall in our lifetime, but you can represent it during the French Revolution. The East-German experience of the fall of the Berlin Wall is not comparable.

Still, I want to come back to the aesthetics of your production, which was located neither in the historical period nor in the present.

I think the aesthetic and the construction of the production were determined by the reflections on how to perform the play. We wanted a simple arrangement that would make it possible to quickly change places and characters, of which there are very many in this play. For this the little podium with the carnival theater curtain that has remained unchanged through time seemed suitable. Also the weathered wood, which was used almost exclusively, suggested a timelessness. Today I think it is a shame that this aesthetic stands for every period except our own.

Many scenes were acted from the audience's space, in order to make the public stages clear. Did this breaking open of the stage work for you?

I wanted to achieve a spatial mix between the carnival – the podium with the little stage – and the convent – the semi-circular arrangement of the audience. Unfortunately you cannot have the audience stand for three hours, as would have been the case at a real carnival. In the end, the carnival stage is the wooden podium for the guillotine and the arena is a viewing space for the execution.

Independent of the play, the Schaubühne is a theater that offers completely different possibilities in terms of space. There is always the challenge of conceiving theater in three dimensions – attempts that we made in the Barracks of the Deutsches Theater, in the Bockenheimer Depot of the TAT, or the reopening of the Schaubühne with "Personenkreis 3.1" ("Catego-

nicht so einfach ins Heute holen. Um dem Stück nicht zu schaden, müssen die Beträge stimmen. Diese Fallhöhe, die man innerhalb der französischen Revolution darstellen kann, haben wir in unserem Leben noch nicht erlebt. Auch die Wende-Erfahrung der Ostdeutschen ist damit nicht vergleichbar.

Trotzdem möchte ich noch einmal auf die Ästhetik eurer Inszenierung zurückkommen, die ja weder in der historischen Zeit noch im Heute angesiedelt war.

Ich glaube, die Ästhetik und der Aufbau der Inszenierung waren vor allem durch Überlegungen zur Spielweise bestimmt. Wir wollten eine simple Anordnung, die einen raschen Wechsel der Orte und Figuren ermöglicht, von denen es in diesem Stück sehr viele gibt. Dazu schien das kleine Podest mit dem Jahrmarktsbühnenvorhang, der über die Zeiten unverändert geblieben ist, geeignet. Auch das verwitterte Holz, fast das ausschließliche Material, suggerierte Zeitlosigkeit. Heute finde ich es schade, dass die Ästhetik für jede Zeit stand, außer der unseren.

Viele Szenen wurden auch aus dem Publikumsraum heraus gespielt, um die öffentlichen Spielorte deutlich zu machen. Hat für euch diese Aufbrechung der Bühne funktioniert?

Ich wollte eine räumliche Mischung zwischen Jahrmarkt – das Podest mit der kleinen Bühne – und dem Konvent – die halbrunde Anordnung des Publikums – erreichen. Leider kann man das Publikum nicht drei Stunden stehen lassen, wie das auf dem wirklichen Jahrmarkt der Fall wäre. Am Ende löst sich die Jahrmarktsbühne als das Holzpodest der Guillotine ein, und die Arena wird zum Schauraum der Hinrichtung.

Unabhängig vom Stück selbst, ist die Schaubühne ein Theater, das räumlich vollkommen andere Möglichkeiten bietet. Es stellt immer wieder die Herausforderung, Theater dreidimensional zu denken – Versuche, die wir auch schon an der Baracke, am TAT im Bockenheimer Depot oder bei der Schaubühnenwiedereröffnung „Personenkreis 3.1" unternommen haben. Während es bei „Personenkreis 3.1" noch eine riesige Dreidimensionalität gab, die zwar konzeptionell stimmte, jedoch große Konzentrationsverluste und Akustikprobleme in sich barg, sollte bei „Dantons Tod" die Dreidimensionalität sehr eng und konzentriert sein.

Viele der Häuser, an denen du gearbeitet hast, verfügen nicht über eine Guckkastenbühne, fordern die von dir angesprochene generelle Infragestellung der Bühnenanordnung. Welche Möglichkeiten bieten sich dabei, wo wird die Arbeit unter derartigen Voraussetzungen problematisch?

Es ist ein Glücksfall, in solchen Räumen arbeiten zu können und letztlich hat mich wohl auch dieser Umstand dazu verführt, nicht in die Architektur zurückzukehren. Zunächst muss eine räumliche Grundentscheidung getroffen werden, und erst dann kommt das eigentliche Bühnenbild. Man muss zuerst mal eine Bühne schaffen – eine Bühne, bei der die Schauspieler innerhalb eines großen, offenen Grundraumes eine Chance für ihr Spiel haben. Das ist sehr schwer. Und wenige unserer Versuche in dieser Richtung sind geglückt. Am ehesten wahrscheinlich die Baracken-Inszenierungen – was mit deren enger Architektur zusammenhing. Bei derart großen Räumen, die nicht durch Rampe und Zuschauerraum gegliedert sind, gibt es ein Problem der Konzentration. Zudem lebt Theater zu einem großen Teil von der Imagination – der Zuschauer soll sich auf eine Welt einlassen, will in diese mitgenommen werden. Räumliche Experimente dagegen werfen immer wieder zurück ins Epische. Denn ganz automatisch werden bei diesen Bühnen die Grundanordnungen – der Spielraum, der Zuschauerraum, vor allem der Zuschauer selbst – mitthematisiert. Auch die Darstellung wird dreidimensional. Es ist auch ein Problem der Schauspielausbildung: Eine bestimmte Körperlichkeit – wie die Biomechanik von Meyerhold etwa – die eine Dreiseitenbespielung ermöglichen könnte, wird nur wenig vermittelt.

Bei „Deutsch für Ausländer" im Bockenheimer Depot seid ihr noch einen Schritt weiter gegangen, habt die Grundelemente Bühne und Zuschauerraum gänzlich weggelassen. Siehst du im Nachhinein diese Konzeption ebenso als gescheitert an?

ry 3.1"). While "Personenkreis 3.1" still had an enormous three-dimensionality, which was conceptually sound, it held problems with concentration and acoustics, and in "Dantons Tod" ("Danton's Death") the three-dimensionality was supposed to be narrow and concentrated.

Many theaters you have worked at do not have a proscenium stage. They demand the questioning of the stage arrangement that you mentioned. Which possibilities are there? Where is working with such prerequisites problematic?

It is a stroke of luck to be able to work in such spaces and in the end this situation seduced me into not going back to architecture. First a basic decision about space has to be made and then comes the actual set. You have to first create a stage – a stage in which the actors have opportunities to act in a big, open basic space. That is very difficult. Only a few of our attempts in this direction have been successful. Most likely the Barracks productions – which was connected to their narrow architecture. In such big spaces, there is a problem with concentration. Moreover theater lives to a great extent from imagination – the audience should get involved with a world. It wants to be transported there. Spatial experiments on the other hand always throw you back into the epic. That is because these stages automatically call into question the basic arrangements – space for acting, space for the audience, above all the audience itself. The representation becomes three-dimensional, too. It is also a problem for the training of actors: a certain physicality, – such as the biomechanics of Meyerhold – which could make three-dimensional action possible, is seldom taught.

In "Deutsch für Ausländer" ("German for Foreigners") in the Bockenheimer Depot you went one step further. You left out the basic elements stage and auditorium completely. Looking back, do you see this conception as a failure, too?

Maybe the whole thing is interesting mainly in its basic dramaturgical idea. The difficulty is always that the characters have to fight first for their legitimacy. They have to create a world of art in the middle of the bar, checkroom, and foyer in which the audience was just moving, got a beer, checked their coats. Of course it is also exciting to watch something like that, theoretically exciting. But it is almost impossible to fascinate the audience, to take them to this other world. Still, today I would do it the same way.

You found your way from these spatial experiments to other possibilities of form ...

For me, two directions in dealing with these spaces came out of that. The total space, in which the audience is incorporated in the cosmos of the production. And that being incorporated is exactly what did not work in "Deutsch für Ausländer" ("German for Foreigners"). In the space for "Woyzeck" the concept did work. The audience sat in the middle of the 360° panorama. They were a part of this world. They were completely and overwhelmingly incorporated.

This total space can also dissolve into other forms. For example in "Kap der Unruhe" ("Cape Unrest") in Hoyerswerda, where the audience lived in a construction worker's barracks together with the actors and sat packed together on the beds and chairs. Or in "Suburban Motel" in a former kitchen showroom across from the Schaubühne. We played in a shop window that you could look into from the street and the audience sat on old chairs spread around the motel room.

In another context you talked about the principle of the space object. What does that mean?

The second direction and also the simplest means to put forth theater, is the freestanding podium in an empty space. You reduce and raise an area, so that the actor who acts on it is easy to

Vielleicht ist das Ganze vor allem von der dramaturgischen Grundidee her interessant. Die Schwierigkeit ist immer, dass die Figur erst einmal um ihre Legitimation kämpfen muss, sich eine Kunstwelt inmitten von Bar, Garderobe und Foyer – in welchen der Zuschauer gerade noch agiert hat, sich ein Bier geholt, die Jacke abgegeben hat – herstellen muss. Natürlich ist es auch spannend, so etwas zu beobachten: theoretisch spannend. Aber es ist fast nicht möglich, den Zuschauer zu faszinieren, in eben diese andere Welt zu entführen. Trotzdem würde ich diese Arbeit heute wieder so machen.

Aus diesen Raumexperimenten heraus hast du zu anderen Gestaltungsmöglichkeiten gefunden ...

Für mich haben sich daraus zwei Richtungen im Umgang mit diesen Räumen ergeben. Ein Gesamtraum, in dem der Zuschauer von dem Kosmos der Aufführung eingeschlossen ist. Und genau dieses Eingeschlossensein hat bei „Deutsch für Ausländer" nicht funktioniert. In dem Raum für „Woyzeck" ging das Konzept auf. Die Zuschauer saßen mitten in einem 360 Grad-Panorama, waren Bestandteil dieser Welt, waren von ihr komplett und überwältigend eingeschlossen.

Dieser Gesamtraum kann sich auch in anderen Formen einlösen. Zum Beispiel bei „Kap der Unruhe" in Hoyerswerda, wo der Zuschauer gemeinsam mit den Akteuren eine Bauarbeiterbaracke bewohnte, dort in großer Enge mit auf den Betten und Stühlen saß. Oder bei „Suburban Motel" in einem ehemaligen Küchenstudio gegenüber der Schaubühne. Wir spielten in einem von der Straße aus einsehbaren Schaufenster, die Zuschauer saßen auf alten Stühlen in dem Motelraum verteilt.

Du hast in einem anderen Zusammenhang von dem Prinzip Raumobjekt gesprochen. Was meint das?

Die zweite Linie und auch das einfachste Mittel, Theater zu behaupten, ist das freistehende Podest im leeren Raum. Man begrenzt und erhöht eine Fläche, sodass der Schauspieler, der darauf agiert, gut zu sehen ist. Zudem ist damit sofort die Kunstwelt behauptet. Im Grun-

de schafft das Podest dasselbe wie das Portal im bürgerlichen Theaterbau: die Behauptung von Bühne, die Eingrenzung einer Spielfläche.

Wenn ich dann auf diesem Podest Elemente anordne – eine Wand oder eine Treppe – entsteht eine Komposition aus konkreten gestalterischen oder architektonischen Versatzstücken, welche eine Welt erzählen oder für die unterschiedlichen Spielorte stehen. Bei der „Arabischen Nacht“ definiert jedes dermaßen gesetzte Einzelteil eine andere Raumebene. Die Handlungen finden simultan statt, und der Zuschauer setzt diese Ebenen gedanklich wieder zusammen. Wir haben dieses Prinzip auch bei „Der Selbstmörder“ oder „Supermarket“ verwandt; bei Stücken, die verschiedene Orte verlangen, bei denen man aber keine Umbauten haben möchte.

Später – bei „Nora“ angefangen – fand ich das Prinzip Podest noch interessanter, wenn es sich dreht. Das verstärkt die Dreidimensionalität und hat einen großen Reiz im Hinblick auf die Präsentation des Körpers selbst und auch des Schauspielers. Für „Hedda Gabler“ habe ich dies mit dem über der Szene aufgehängten Spiegel nochmals steigern können. Die Bühne findet darin einen räumlichen Abschluss. Zudem schafft er mehr Erlebnis, eine scheinbare Offenheit. Der Zuschauer hat das Gefühl, alles sehen zu können, und wird dann doch von neuen, uneinsehbaren Möglichkeiten des Auftritts überrascht. „Hedda Gabler“ stellt jedoch für mich momentan einen Endpunkt meiner Beschäftigung mit dem Podest dar – ich habe momentan keine Idee, wie ich die Arbeit damit noch besser auf den Punkt bringen könnte.

Dennoch hast du bei „Trauer muss Elektra tragen“ genau da wieder angeknüpft …

Die beiden Arbeiten lagen zeitlich zu dicht beieinander und ich wollte mich noch nicht von dieser Auseinandersetzung trennen, da auch die sozialen Welten beieinander lagen. Ich wollte das Ganze noch mehr vereinfachen, nur noch mit einer Glasscheibe arbeiten. Im Endeffekt war die beabsichtigte Radikalisierung nicht erkennbar oder die Lösung der „Hedda“-Bühne nicht ähnlich genug – denn warum muss man für jede Inszenierung ein neue Bühne bauen.

see. And also that way a world of art is asserted. Essentially, the podium does the same thing as the proscenium in bourgeois theater buildings: it asserts the stage and limits the area for acting.

When I arrange things on these podium elements – like a wall or stairs – a composition is created from concrete creative or architectonic mixed elements, which can narrate a world or represent the most varied locations. In the “Arabische Nacht” (“Arabian Night”) every component that is so placed defines another level of space. The actions take place at the same time and the audience recombines these levels in their minds. We also used this principle in “Der Selbstmörder” (“The Suicide”) or “Supermarket”, with plays that demand different locations, but for which you do not want to have the set changed.

Later – it started with “Nora” – I found the podium principle more interesting when it rotates. That increases the three dimensionality and is greatly attractive in terms of presenting the body itself and also the actors. For “Hedda Gabler” I was able to enhance this even more using mirrors hung up over the set. The stage finds a spatial closure in them. It also creates more experience, a seeming openness. The audience has the feeling of being able to see everything and then is still surprised by new, unseen possibilities of entry. “Hedda Gabler”, though, represents for me the end of my engagement with the podium – at the moment I do not have any idea how I could summarize working with them any better.

Still, in “Trauer muss Elektra tragen” (“Mourning Becomes Electra”) you started from exactly that point …

Those two jobs were too close together in time and I did not want to separate myself from this problem yet, also because the social worlds were close to each other. I wanted to simplify everything even more, working only with a pane of glass. In the end, the intended radicalization was unrecognizable or not similar enough to the “Hedda” set, because why should you have to build a new set for every production?

You built a very radical podium for Caryll Churchill's "Die Kopien" ("A Number"). A three meter by three meter acting space, two meters above the floor and slanted steeply forward. A set that – given the slant and the small size – is very hard to act on ...

Yes, unfortunately also a wonderful ending point. It cannot get any smaller, higher, and steeper. A difficult stage to act on, but in the eyes of the two actors, the optimal one.

Radical in a different sense was the mostly empty, rotating stage for "Der Blaue Vogel" ("The Blue Bird") – a construction that created space for wonderfully poetic images, but demanded a lot from the actors physically ...

In his first use of the Deutsches Theater stage, Thomas wanted to work with the empty space and its technical possibilities, that is with the rotating stage. The cone shape podium set was just a suggestion to him how the effect of the actors and the rotating movement could be amplified.

You often try to reinsert the theater space into the set, to carry it forward into the set. What effect does this have beyond aesthetic playfulness?

I am interested in how you can use the power that every space has for the stage. That is a question of size, proportions, and location of the stage. In the first years – in spite of all my reservations about symmetry – I only built symmetrical sets in order to incorporate the power of the basic spaces, which were without exception symmetrical. Today I think that this assumption is true for the power of the set in the room, but not for the figures on the set.

What I meant was also that you integrate the compositional elements of the theater building into the stage space.

Ein sehr radikales Podest hast du für Caryll Churchills „Die Kopien" gebaut. Drei mal drei Meter Spielfläche, zwei Meter über dem Boden und stark nach vorn gekippt. Darauf ein Tisch und zwei Sofas. An sich – in der Schräge und der Enge – eine schwer zu bespielende Bühne ...

Ja, leider auch ein wunderbarer Endpunkt. Es geht nicht kleiner, nicht höher und nicht steiler. Eine schwer zu bespielende Bühne, aber für die Wahrnehmung der beiden Schauspieler das Optimum.

Radikal in einem anderen Sinne war das weitgehend leere, sich drehende Podest bei „Der Blaue Vogel" – eine Setzung, die zugleich Raum für wunderbar poetische Bilder schuf und doch den Schauspielern körperlich viel abverlangte ...

Thomas wollte in seiner ersten Auseinandersetzung mit der Bühne des Deutschen Theaters mit dem leeren Raum und dessen technischen Möglichkeiten, also mit der Drehscheibe, arbeiten. Ich habe ihm mit dem kegelförmigen Spielpodest nur einen Vorschlag gemacht, wie man die Schauspieler und die Drehbewegung in ihrer Wirkung verstärkt.

Du versuchst häufig, den Bühnenraum selbst in der Bühne wieder aufzunehmen, ihn in ihr fortzusetzen. Welchen Effekt hat dies über die ästhetische Spielerei hinaus?

Mich interessiert, wie man die Kraft, über die ein jeder Raum verfügt, für die Bühne nutzen kann. Das ist eine Frage der Größe, der Proportion und des Standortes der Bühne. In den ersten Jahren habe ich nur symmetrische Bühnen gebaut, um – trotz aller Vorbehalte gegen die Symmetrie – die Kraft der ausnahmslos symmetrischen Grundräume für die Bühne aufzunehmen. Heute denke ich, dass diese Annahme zwar für die Kraft der Bühne im Raum stimmt, nicht aber für die Figuren auf ihr.

Ich meinte damit auch, dass du teilweise gestalterische Elemente des Theaterbaues in den Bühnenraum integrierst.

Das waren eher dramaturgische Entscheidungen. Für „Der Würgeengel" haben wir Dekor aus dem Schaubühnencafé in der Bühne aufgenommen und damit das Klaustrophobische des Stückes verstärkt. Zudem waren es für die an der Produktion Beteiligten Versatzstücke aus der Welt, in der sie täglich leben und im Grunde – wie eben beim „Würgeengel" – nicht hinauskommen. Man kann bei all dieser Bürgertumskritik nicht nur mit dem Finger auf die Anderen zeigen, sondern muss auch den Punkt herausarbeiten, an dem es einen selbst angeht.

Bei „Nora" und „Hedda Gabler", „Der Würgeengel" oder „Zerbombt" heißt das auch, die Welt so darzustellen, dass sich der Zuschauer damit identifiziert, davon angezogen fühlt?

Bei den bürgerlichen Dramen ist Verführung ein wichtiger Effekt. Diese Stücke funktionieren nur, wenn die Fallhöhe stimmt, wenn es um materiellen Verlust und sozialen Abstieg geht. Also muss ich eine Ästhetik des Wohlstands zeigen. Verführung meint, der Zuschauer soll die Welt da oben anziehend finden, sie nicht ablehnen und damit auch das Dargestellte fernhalten. Die Figuren dürfen nicht vor dem Aufbrechen des szenischen Dramas durch ihr Interieur beschädigt werden. Dabei geht es aber nicht um Realismus, sondern um eine aus Zeitschriften oder der Werbung bekannte Hochglanzästhetik, die aber gar nicht bewohnbar oder wohnlich ist – wie dies unsere Traumhäuser auch nicht sind – das Abbild einer heilen, mit Wohlstand und Problemlosigkeit gleichgesetzten Konsumwelt. Ich fände es schön, wenn zu Beginn der „Zerbombt"-Vorstellung der Gedanke wächst, auch einmal wieder ein Wochenende in ein Edelhotel zu fahren.

Du betonst oft die Priorität des Ermöglichens von Schauspiel, der Verständlichkeit und Veranschaulichung. Mit den bürgerlichen Stücken der letzten Jahre hat sich dies verstärkt. Deine Bühnen werden konkreter und gegenständlicher. Wo ein Stuhl gebraucht wird, steht auch einer.

Da bin ich wohl eher Handwerker als Künstler. Stühle sind für mich nicht unbedingt Zeichen von Bequemlichkeit. Man kann über sie

Those decisions were more dramaturgical in nature. For "Der Würgeengel" ("The Strangling Angel") we incorporated the décor of the Schaubühne's café into the set, and thus amplified the claustrophobic aspect of the play. For those participating in the productions they were elements of the world in which they live everyday and in the end – like in the "Der Würgeengel" cannot escape from. With all this criticism of the bourgeoisie you cannot just point your finger at the others, you have to work out the point at which in touches you yourself.

For "Nora" and "Hedda Gabler", "Der Würgeengel" ("The Strangling Angel"), or "Zerbombt" ("Blasted") that means representing the world in such a way that the audience can identify with it, feels attracted to it, as well?

Seduction is an important effect in the bourgeois dramas. These plays only work when the height of fall is right, when it is a question of material loss and social descent. So I have to present an aesthetic of affluence. Seduction means that the audience should find the world up there attractive, should not reject it, and thereby keep what is portrayed at a distance. The figures cannot be internally damaged before the scenic drama begins. It is not a question of realism, but rather a glossy aesthetic that we know from magazines or advertising that is completely uninhabitable and is not homelike at all – just like our dream houses are not – the image of an ideal world of consumption equated with affluence and a lack a problems. It would please me if, at the beginning of a performance of „Zerbombt" („Blasted"), the idea of going for a weekend in an expensive hotel came to mind.

You often emphasize the priority of facilitating acting, of understandability and visualization. This has become even more so with the bourgeois plays of the last years. Your sets are becoming more concrete and objective. Where a chair is needed, you find a chair.

I am more an artisan than an artist in that respect. Chairs are not necessarily a sign of comfort for me. You can establish attitudes, arrangements, possibilities, gestures, etc with them. With bourgeois plays, the piece is not served well by omiting the concrete furniture as instruments for acting. It is good when you can sit in an Ibsen play.

For "Nora" as well as "Baumeister Solness" ("The Master Builder") or "Der Ring des Nibelungen" ("The Ring of the Nibelungen") you put the outline of a house on the stage. What fascinates you about such exact, detail-rich representations of living spaces and what possibilities of breaking them and working against them – like in "Der Ring des Nibelungen" – can be shown?

It is a shame that you describe it like that, because my intentions were different. I did not aim for an exact, detail-rich portrayal. I do not know anybody who inhabits such a living space. I only know this world from the peace and happiness of the media. Actually it was supposed to be a living space in which you accept the uninhabitable nature for the presentation of affluence. There are only props that serve the acting. Optically it is a reduction similar to the arrangements devoid of humanity in the magazines.

It was completely different in "Ring des Nibelungen" ("The Ring of the Nibelungen") in the Bockenheimer Depot. That was a production with puppets and masks in which Wagner's libretto was performed. Tom Kühnel wanted to free the narrative from its pathos and tell a more down-to-earth generational family drama. He wanted to have a family headquarters for this. Rufus Didwiszus and I built a single-family home that offered all the typical functional and living spaces. That was a real house construction, but still you did not want to live in it, because it was tainted by the nightmares of childhood.

I still feel that your recent work is less abstract. The spaces are constructed concretely. The strong reduction of the Frankfurt "Faust"

Haltungen, Arrangements, Möglichkeiten, Gesten etc. finden. Gerade bei diesen bürgerlichen Stoffen dient man dem Stück nicht, wenn man die konkreten Möbel als Spielmittel weglässt. Es ist gut, wenn man bei Ibsen sitzen kann.

Für „Nora" hast du ebenso wie für „Baumeister Solness" oder „Der Ring des Nibelungen" ein Haus im Aufriss auf die Bühne gestellt. Was fasziniert an einer solch genauen, detailreichen Darstellung von Wohnwelten, und welche Möglichkeiten der Brechung und Konterkarierung lassen sich damit – wie in „Der Ring des Nibelungen" – zeigen?

Schade, dass du es so beschreibst, denn ich habe es anders gemeint. Ich wollte keine genaue, detailreiche Darstellung. Ich kenne niemanden in einer solchen Wohnwelt, sondern kenne diese Welt nur aus dem Frieden und dem Glück der Medien. Eigentlich sollten es Wohnwelten werden, in denen man die Unbewohnbarkeit für die Präsentation des Wohlstandes in Kauf nimmt. Es gibt allein Requisiten, die das Spiel nutzt – optisch eine ähnliche Reduzierung wie die entmenschten Arrangements in den Magazinen.

Ganz anders bei „Ring des Nibelungen" im Bockenheimer Depot, eine Puppen-, Masken-, Schauspielproduktion, in der der Wagnerische Librettotext aufgeführt wurde. Dabei wollte Tom Kühnel die Geschichte von ihrem Pathos befreien und ein bodenständigeres Familienepos über mehrere Generationen erzählen. Er wünschte sich dafür einen „Familiensitz". Rufus Didwiszus und ich bauten ein Einfamilienhaus, das aufgeschnitten alle typischen Wohn- und Funktionsräume bot. Das war ein wirklicher Hausbau, trotzdem wollte man auch darin nicht wohnen, da er stark mit den Albträumen der Kindheit behaftet war.

Dennoch beobachte ich, dass deine letzten Arbeiten weniger abstrakt sind, Räume sehr konkret gesetzt werden. Die starke Reduktion, wie zum Beispiel bei den Frankfurter „Faust"-Inszenierungen, „Der Blaue Vogel" oder „Antigone" findet sich in den Produktionen der letzten Zeit kaum noch.

Die Welten der Bühnen sind in den letzten Jahren sehr viel stärker sozial geprägt, dadurch werden die Setzungen konkreter, sowohl für die Unterschicht („Woyzeck", „Goldene Zeiten"), die Mittelschicht („Wunschkonzert") oder die Oberschicht („Nora", „Der Würgeengel"). Allerdings denke ich, mit „Hedda Gabler" im Konkreten wieder eine Abstraktion erreicht zu haben, die an die früheren Arbeiten anknüpft. In „Unter Eis" zum Beispiel habe ich das Konkrete, Reale – den Schreibtisch – überdimensional vergrößert, unsymmetrisch in den Raum gesetzt und scheinbar zum Schweben gebracht. Dieser Tisch wird dadurch zu einem abstrakt wahrgenommen Gegenstand, den man aber sehr konkret und real bespielen kann. Diese Verschiebung ist genau das, was ich immer suche. Die Inspiration zu diesem Tisch stammt aus Stanley Kubricks „2001 Odyssee im Weltall": der riesige, schwarze, durchs All schwebende Monolith.

Der größte Teil der Arbeiten mit Tom Kühnel und Robert Schuster erfasste die Welt in der Vereinfachung des Modells. Dies verlangte abstraktere Lösungen, die stark reduziert sein konnten, teilweise zurückgenommen bis auf den reinen Grundkörper („Antigone", „Europa"). Mit Thomas Ostermeier begann ich ebenfalls mit fast leeren Bühnen („Mann ist Mann", „Der Blaue Vogel"). Die Spielweisen waren noch sehr viel körperlicher und hatten eine starke imaginäre Kraft, die durch eine größere Konkretisierung geschwächt worden wäre. Aber brauchte ich stärker das Soziale, dann wurden auch früher die Bilder konkreter („Die Unbekannte", „Weihnachten bei Ivanows").

Mich interessieren zur Zeit aber die sozialen Welten auch sehr viel stärker. Ich spüre die Verachtung des Konkreten als künstlerisch schwächere Leistung. Dabei denkt man zu wissen, wie die unterschiedlichen Menschen leben. Aber die Art und Weise, wie man lebt und wohnt, gehört noch immer zu den großen Geheimnissen, darüber gibt es die wenigsten Veröffentlichungen.

„Unter Eis" ist Teil des „System"-Zyklus, den du mit Falk Richter 2003/04 an der Schaubühne erarbeitet hast. Ein vierteiliges work-in-progess Projekt, bei dem du am Anfang noch nicht wusstest, wie die Stücke, die du gestalten solltest, aussehen bzw. wo sie spielen? Wie bist du dabei vorgegangen?

productions, for "Der Blaue Vogel" ("The Blue Bird"), or "Antigone" can hardly be found in the recent productions.

In recent years, the worlds of the sets are much more social, and that means the constructions are more concrete, even for the lower class – "Woyzeck", "Goldene Zeiten" ("Better Days") –, the middle class – "Wunschkonzert" ("The Wish-Concert") –, or the upper class – "Nora", "Der Würgeengel" ("The Strangling Angel"). But I think I have achieved an abstraction in the concrete again with "Hedda Gabler", which connects to the early work. In "Unter Eis" ("Under Ice"), for example, I colossally enlarged the concrete, the real – the desk –, set it asymmetrically in the space, and then made it look like it was floating. This way the desk became an abstractly perceived object that could be used in concrete and real ways by the actors. This displacement is exactly what I am always looking for. The inspiration for this desk came from Stanley Kubrick's "2001: A Space Odyssey" – the enormous, black monolith floating through space.

Most of my work with Tom Kühnel and Robert Schuster conceived the world in the simplicity of the model. This demanded more abstract solutions, which could be strongly reduced, sometimes even pared down to the pure basic elements ("Antigone", "Europa"). With Thomas Ostermeier I started with almost empty sets: "Mann ist Mann" ("Man is Man"), for "Der Blaue Vogel" ("The Blue Bird"). The ways of acting were much more physical and had a strong power of fantasy, which would have been weakened by being more concrete. If I need the social aspect more, then the images become more concrete. This was true even early on – "Die Unbekannte" ("Unknown Woman"), "Weihnachten bei Ivanows" ("Christmas at the Ivanovs").

At the moment, I am more interested in social worlds. I perceive despising the concrete as an artistically weaker effort. You think you know how the most varied people live, but the way they live is still one of the biggest secrets, there are very few publications about that.

"Unter Eis" ("Under Ice") is part of the "System" cycle that you created with Falk Richter in 2003/2004 at the Schaubühne. It is a four-part work-in-progess, were you did not know in the beginning what the plays you were designing for would look like or where they took place. How do you work under those conditions?

Of the four productions from the "System" cycle, the texts for "Electronic City" and "Unter Eis" ("Under Ice") where ready at the start. The idea was to have a consistent basic space, or rather a work space, which we would change with smaller constructions for the individual works. That was also in order to work with the artistic decisions open for a long time. The situation was wonderful for me of course, because the set could exist before the text. It arose from a common intuition about what the performance might be in the end and we all tried very much to work with associations. However this was not possible without an unusual number of design models. The final version only came into being after the first rehearsals with the actors. This way of working proved less valuable for "Weniger Notfälle (Amok)" ("Fewer Emergencies (Amok)") maybe, but was wonderful for "Unter Eis" ("Under Ice") and "Hotel Palestine".

At the start of your time at the Schaubühne you wanted to attempt a new aesthetic beginning for the house: the audience arrangements were to be constantly redefined, the halls changed, the walls shown bare, etc. Where did you have to make concessions?

The Schaubühne is a great and extremely flexible building. You can explain this in guided tours for tourists from all over the world and demonstrate it in books – only in practice the changes take too long and cost too much. The Schaubühne is designed for repertory theater. If you had to constantly reconfigure the halls that would block the operation for days.

In the beginning when we saw the bare walls we were excited and asked ourselves why they were covered under the old artistic leadership. Or why three halls were equipped with relatively fixed seating. Today we know that you get tired of look-

Von den vier Produktionen des „System"-Zyklus' lagen für „Electronic City" und „Unter Eis" schon zu Beginn die Texte vor. Der Plan war, dass wir einen gleich bleibenden Grund- bzw. Arbeitsraum haben, den wir dann mit kleineren Einrichtungen für die einzelnen Arbeiten verändern, auch um mit den künstlerischen Entscheidungen lange offen arbeiten zu können. Die Situation war für mich natürlich wunderbar, da die Bühne vor dem Text da sein konnte. Sie entstand aus einer gemeinsamen Ahnung heraus, was der Abend am Ende sein könnte, und versuchte sehr mit Assoziationen zu arbeiten. Allerdings ging dies nicht ohne ungewöhnlich viele Entwurfsmodelle. Die Endfassung entstand erst nach den ersten Proben mit den Schauspielern. Diese Arbeitsweise bewährte sich vielleicht bei „Weniger Notfälle (Amok)" weniger, bei „Unter Eis" und „Hotel Palestine" jedoch wunderbar.

Zu Beginn eurer Schaubühnen-Zeit wolltet ihr auch einen ästhetischen Neuanfang für das Haus wagen: Die Zuschauerarrangements sollten immer wieder neu definiert, die Säle variiert, die Wände pur gezeigt werden etc. An welchem Punkt musstet ihr Zugeständnisse machen?

Die Schaubühne ist ein großartiger und extrem flexibler Bau. Man kann dies gut in Führungen für Touristen aus aller Welt erklären und sehr schön in Büchern zeigen – allein in der Praxis dauert das Umbauen zu lange und kostet zu viel. Die Schaubühne ist als Repertoirebetrieb konzipiert. Wenn man da im laufenden Spielbetrieb die Säle immer wieder neu aufbauen müsste, würde das den Betrieb für Tage blockieren.

Als wir zu Beginn die nackten Wände sahen, waren wir begeistert und haben uns gefragt, wieso die unter der alten Intendanz abgehangen waren. Oder wieso damals drei Säle mit einer relativ festen Bestuhlung eingerichtet wurden. Heute wissen auch wir, dass man sich an den nackten Wänden schnell satt sieht und sie eine sehr schlechte Akustik mit sich bringen. Zunächst haben wir trotz Zuschauerbeschwerden die schlechte Akustik akzeptiert, weil das Visuelle der nackten Wände wie ein Befreiungsschlag wirkte. Inzwischen will man aber wieder was verstehen, und Produktionen wie „Die Herzogin von Malfi", die genau mit dieser Problematik kämpfte, werden nicht mehr angenommen. Wir haben heute auch wieder drei Säle mit einer Grundbestuhlung – alles andere war unrealistisch.

Einige der frühen Baracken-Produktionen habt ihr auch an der Schaubühne gezeigt. Wie funktionierten die Inszenierungen an solch unterschiedlichen Bühnen?

Die Ästhetik der Baracken-Arbeiten war vor allem durch bühnentechnische Beschränkungen geprägt. Der Raum war eng, die Spielfläche sehr klein und durch die niedrige Decke verdichtet. Es gab nicht mehr als ein paar aufzuhängende Scheinwerfer. Alle Lösungen wurden über das Spiel entwickelt. An der Schaubühne habe ich dagegen so ziemlich alle technischen Möglichkeiten. Es ist eine Form von Understatement, in diesem hochgerüsteten Theaterraum Produktionen zu zeigen, die man mit einem Minimum an Technik erarbeitet hat. Komischerweise haben diese Inszenierungen – „Shoppen und Ficken" und „Unter der Gürtellinie" mit den Bühnen von Rufus Didwiszuz und auch „Mann ist Mann" – dennoch gut in der Schaubühne funktioniert. Die Inszenierungen danach jedoch, bei denen man nicht mehr der Zwangssituation des Mangels, sondern der Verführung des Möglichen gegenüberstand, waren schwierig.

Wie näherst du dich einem Stoff an? Gibt es zunächst eine individuelle Suche nach der Form, oder sitzt ihr gleich gemeinsam am Tisch und diskutiert die Grundkonzeption?

Das hängt sehr von der Produktion ab. Ich fotografiere sehr viel, habe ein großes Fotoarchiv. Ich versuche mir selbst durch Recherche Material zuzubringen, den Kosmos zu erweitern. Aber es gibt auch Arbeiten, wo der Regisseur, weil er sich schon lange mit dem Stück beschäftigt hat, eine konkrete Vorstellung mit einbringt. Das ist zum einen sehr blockierend, auf der anderen Seite aber auch sehr hilfreich, weil es viel darüber erzählt, was stattfinden kann und soll. Dabei geht es an sich nicht um die konkrete Lösung, sondern eher um Frage, wie radikal man mit dem Material umgehen kann. Ich baue dann mehrere Modelle mit unterschiedlichen Lösungsansätzen und biete diese

ing at bare walls quickly and they cause really bad acoustics. At first we accepted the bad acoustics in spite of audience complaints, because visually the bare walls seemed like an act of liberation. In the meantime people want to be able to understand something again and productions like "Die Herzogin von Malfi" ("The Duchess of Malfi"), which had to struggle with just this problem, are not accepted. Today we have three halls with fixed seating again – anything else would be unrealistic.

You have shown some of the early productions from the Deutsches Theater Barracks in the Schaubühne. How do these productions work on such different stages?

The aesthetics of the Barracks productions was shaped above all by the technical limitations of the stage. The space was narrow; the acting area very small and compressed by the low ceiling. You could hang up no more than a few spotlights. All the solutions were developed through the acting. At the Schaubühne I have pretty much every technical possibility. It is a form of understatement to show productions that we worked out with a minimum of technology in this well equipped theater space. Strangely enough these productions – "Shoppen und Ficken" ("Shopping and Fucking") and "Unter der Gürtellinie" ("Below the Belt") with sets by Rufus Didwiszuz and also "Mann ist Mann" ("Man is Man") – still work well at the Schaubühne. The productions after that, the ones where we did not face the constraints of lack but rather the seduction of possibility, were difficult.

How do you approach material? Is there first an individual search for the form, or do you all sit down together and discuss the basic conception?

That depends on the production. I take lots of pictures and have a large photo archive. I try to find material for myself through research, to expand my cosmos. But there are also times when the director brings along a concrete idea, because he has been grappling with the play for a long time already. That is limiting on the one hand. On the other hand it is helpful, because it tells a lot about what can and should take place. It is not per se a question of concrete solutions, but rather the question is how radically the material can be treated. Then I build several designs with various solutions and present my suggestions. We meet each other through negation, through elimination to the final form. It is easier to say what you do not want than what you want. Then you have to walk around for a week and finally it comes to you. In the end it is about getting to the point of the matter.

I read in an interview that you are more interested in facilitating a way of acting than a play. What does that mean?

That quotation comes from a period in which Thomas Ostermeier was experimenting with Meyerhold's biomechanics and Tom Kühnel and Robert Schuster were making productions with puppeteers. Both styles require different ways of acting of course and so place different demands on a set. Even if all that has become more refined and we have found our own style to a certain extent, I think the way of acting is the determining factor for a production and the set. Thomas Ostermeier's production "Mann ist Mann" ("Man is Man") is certainly more influenced by biomechanics than the play itself. And of course it is an important aspect of work like "Antigone" and "Weihnachten bei Ivanows" ("Christmas at the Ivanovs") to facilitate the action of the puppeteers. I do not move in these extremes of representation anymore today. Earlier, in the security of the academy, we could try many things, work on extremes, experiment.

Originally you studied architecture. How did you encounter the theater? Were there directors, productions that influenced you? When did you start going to the theater?

My parents are actors and so I was familiar with the theater from my childhood on. I saw a lot of theater, but cannot name any

an. Wir nähern uns über die Negation, über den Ausschluss der Endgestaltung an. Es ist einfacher zu formulieren, was man nicht will, als was man will. Dann geht man wieder eine Woche spazieren und schließlich hat man es. Letztlich geht es darum, die Sache auf den Punkt zu bringen.

Ich habe in einem Interview gelesen, es gehe dir mehr darum, eine Spielweise als ein Stück zu ermöglichen. Wie ist das zu verstehen?

Das Zitat stammt aus der Zeit, in der Thomas Ostermeier mit der Meyerholdschen Biomechanik experimentierte und Tom Kühnel und Robert Schuster Inszenierungen mit Puppenspielern erarbeiteten. Beide Stile bedurften natürlich verschiedener Spielweisen und somit auch anderer Bühnenanforderungen. Auch wenn sich das jetzt alles verfeinert und wir ein Stück weit unseren Stil gefunden haben, glaube ich, die Spielweise ist für die Inszenierung und die Bühne bestimmend. Thomas Ostermeiers Inszenierung „Mann ist Mann" ist sicherlich viel mehr von der Biomechanik als vom Stück selbst geprägt. Und natürlich ist bei Arbeiten wie „Antigone" oder „Weihnachten bei Ivanows" ein wichtiger Aspekt, dass Agieren der Puppenspieler zu ermöglichen. In diesen darstellerischen Extremen bewege ich mich heute nicht mehr. Früher, in der Sicherheit der Schule, konnte man viel ausprobieren, sich an Extremen abarbeiten, experimentieren.

Du hast ursprünglich Architektur studiert. Wie bist du dem Theater begegnet – gab es Regisseure, Inszenierungen, die dich beeinflusst haben? Wann hast du angefangen, Theater zu sehen?

Meine Eltern sind Schauspieler, und so war mir Theater als Welt von klein auf bekannt. Ich habe viel Theater gesehen, kann aber keine prägenden Erfahrungen oder Begegnungen nennen. Allerdings spürte ich schon nach drei Jahren Architekturstudium, dass mich das nicht ausfüllt. In Weimar haben wir dann eine Theatergruppe gegründet und Inszenierungen im Foyer der Architekturschule gezeigt. Ich habe bei diesen Arbeiten Regie geführt. 1993 bekamen wir von der Stadt Weimar eine Einladung zum Kunstfest. Einige aus dem Studententheater lehnten den Kontakt mit dem subventionierten Theater ab, und so zerbrach unsere Truppe. Ich habe stattdessen als Bühnenassistent in der Karge-Inszenierung beim Kunstfest gearbeitet Dieter Klaß hatte dafür einen Kubus geschaffen – im Grunde eine architektonische Arbeit für das Theater. Das war für mich eine sehr interessante Zeit und daraus entstand auch der Kontakt mit Tom Kühnel, Robert Schuster und Thomas Ostermeier.

Deine Diplomarbeit als Architekt hast du dennoch über das Theater geschrieben ...

Ich entwickelte einen mobilen Theaterzuschauerraum, der – ähnlich einem Kinderlampion – klappbar ist und sich an Häuser, Orte oder Plätze, die man in der Stadt findet, andocken kann. Man sucht sich den richtigen Ort für die Performance, selektiert den öffentlichen Raum und transformiert ihn zu einem Kunstraum. Eine gute Idee. An sich beruht das auf dem Gedanken, nicht jedes Mal einen Raum neu erfinden zu müssen, sondern dass – eben wie im Mendelsohn-Zitat – man die vorhandenen Dinge nimmt, sie separiert und für die Kunst neu (be)setzt.

formative experience or encounter. Nevertheless, after three years of studying architecture I felt that it did not fulfill me. In Weimar we founded a theater group and gave performances in the foyer of the school of architecture. I was the director for these productions. In 1993 the city of Weimar invited us to the Art Festival. Some of the people in the student theater group rejected having contact with subsidized theater and so the group broke up. Instead I worked as stage assistant in the Karge production at the art festival. Dieter Klaß had made a cube for it – essentially an architectonic work for the theater. That was a very interesting time for me and through it I came into contact with Tom Kühnel, Robert Schuster, and Thomas Ostermeier.

Still, your architecture thesis was on the theater ...

I developed a mobile auditorium. It was hinged like a child's lantern and could be docked on houses, locations, or squares such as you find in the city. You find the right location for a performance, choose the public space, and transform it into artistic space. A good idea. It was based on the idea that you do not need to reinvent the space every time, but – like in the Mendelsohn quotation – you take the things that already exist, separate them, and re-appropriate them for art.

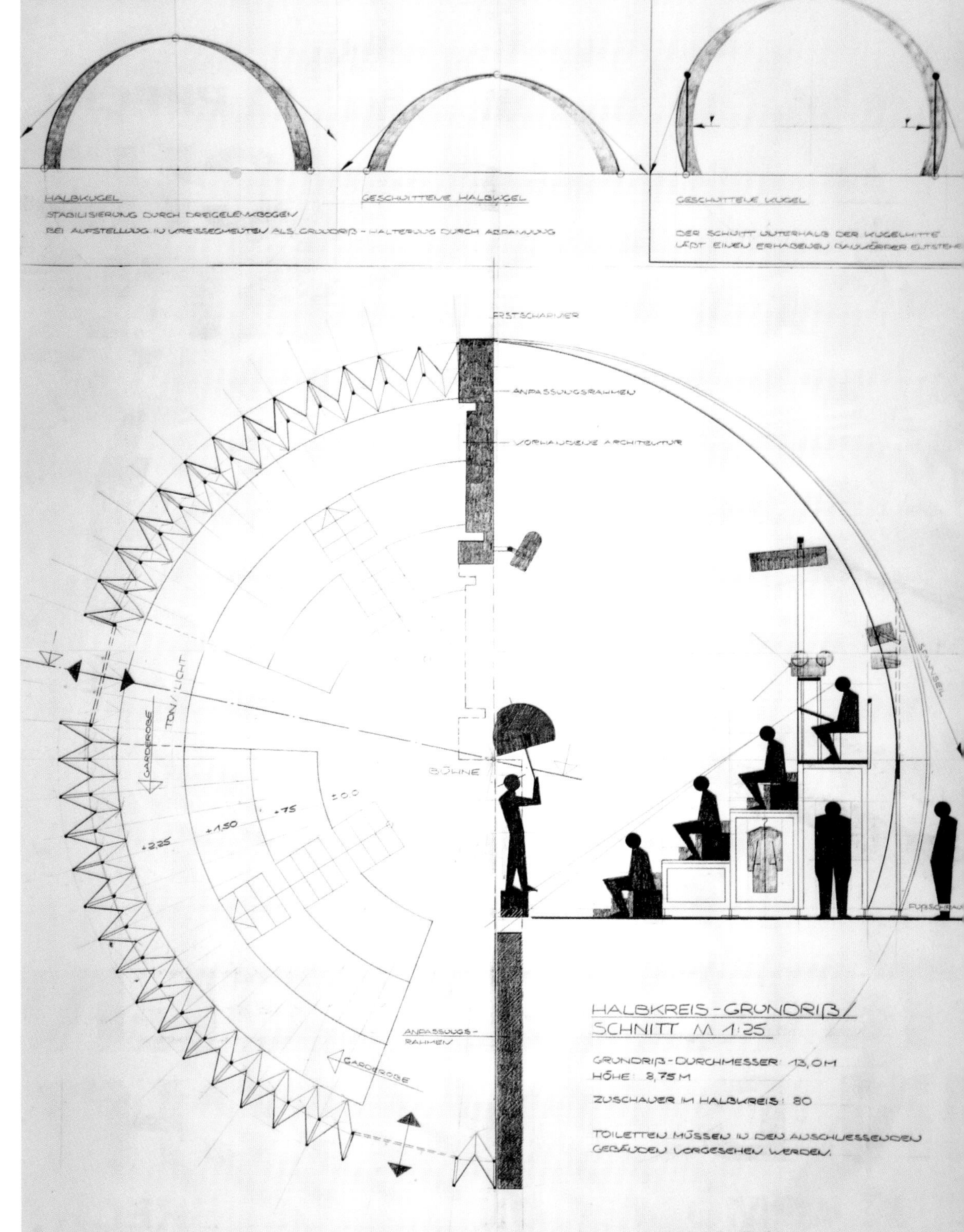
HALBKUGEL
STABILISIERUNG DURCH DREIGELENKBOGEN
BEI AUFSTELLUNG IN KREISSEGMENTEN ALS GRUNDRIß - HALTERUNG DURCH ABSPANNUNG
GESCHNITTENE HALBKUGEL
GESCHNITTENE KUGEL
DER SCHNITT UNTERHALB DER KUGELMITTE
FIRSTSCHARNIER
ANPASSUNGSRAHMEN
VORHANDENE ARCHITEKTUR
TON/LICHT
GARDEROBE
BÜHNE
+2,25
+1,50
+,75
±0,0
ANPASSUNGS-
RAHMEN
GARDEROBE
HALBKREIS-GRUNDRIß/
SCHNITT M 1:25
GRUNDRIß-DURCHMESSER: 13,0 M
HÖHE: 8,75 M
ZUSCHAUER IM HALBKREIS: 80
TOILETTEN MÜSSEN IN DEN ANSCHLIESSENDEN
GEBÄUDEN VORGESEHEN WERDEN.
KLÄRENDE DETAILS/ZUARBEITEN: FLUCHTWEGE (VERANSTALTUNGSSTÄTTENVERORDNUNG/FLIEGENDE BAUTEN)
FIRSTSCHARNIER

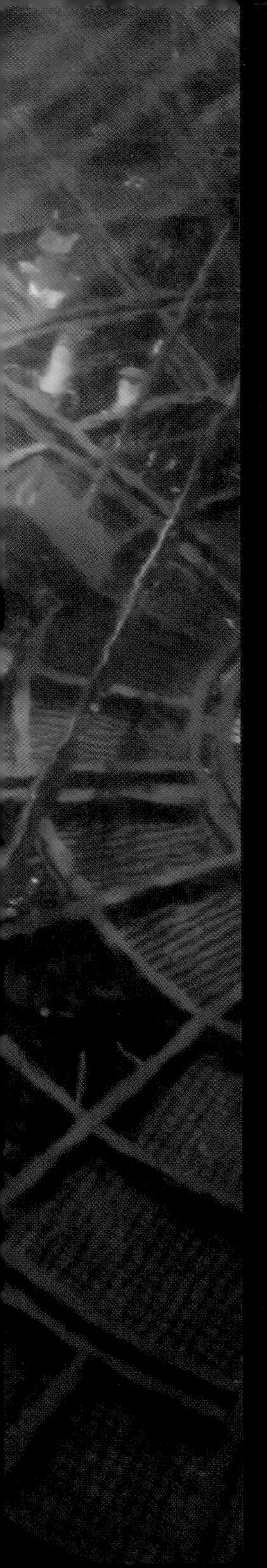

BÜHNEN / STAGES

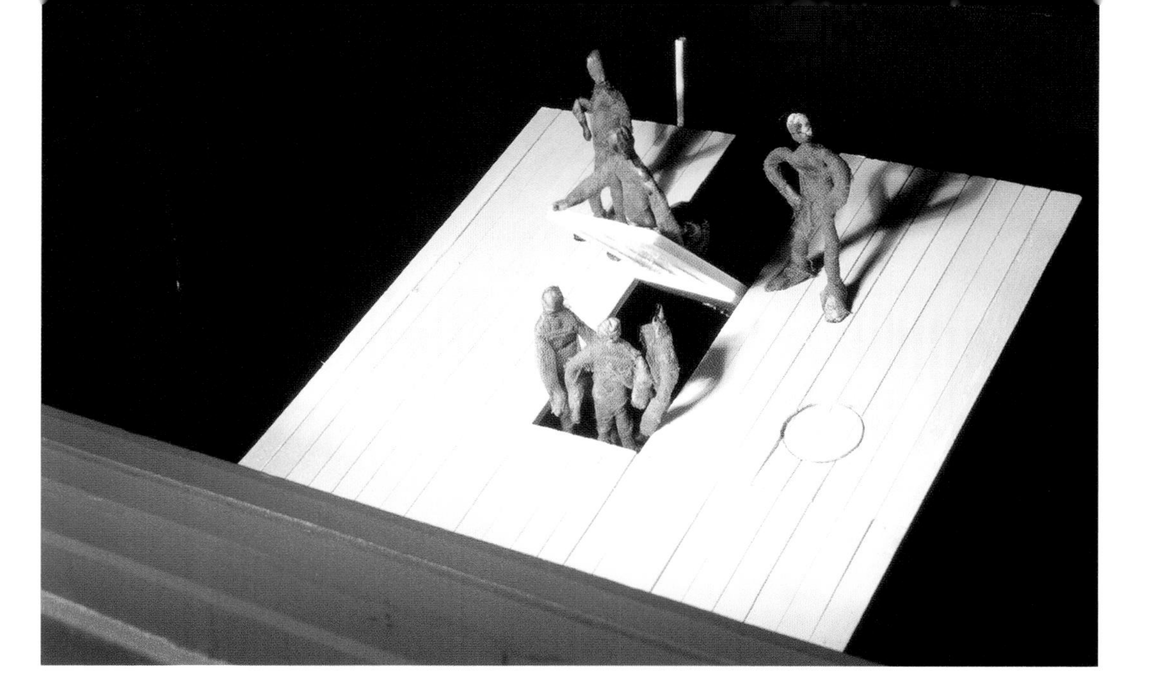

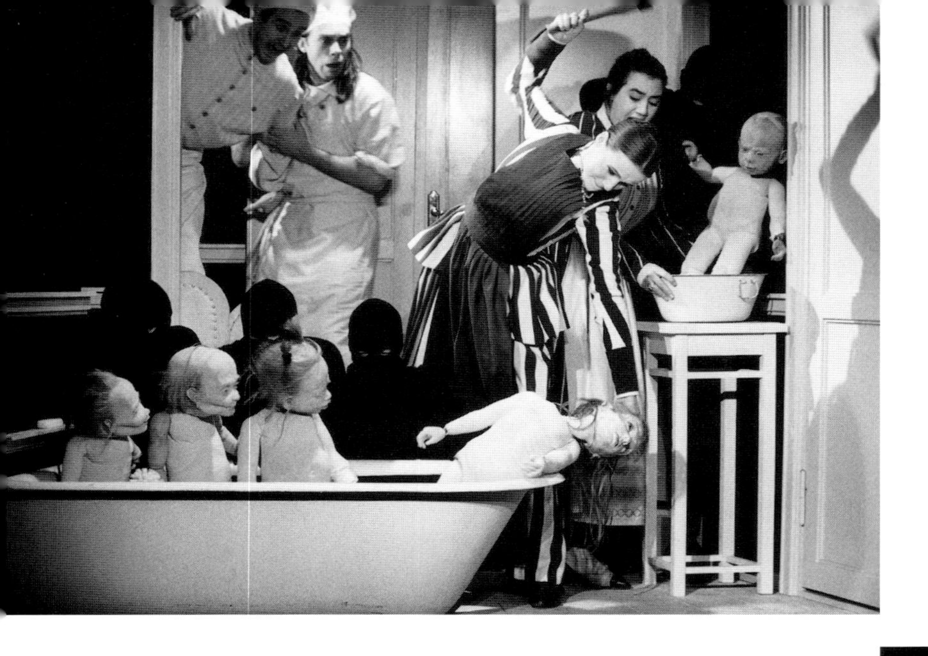

TOM KÜHNEL

DER FUNDAMENTALIST

Meine ersten zehn Jahre am Theater (mit Robert Schuster) sind ohne Jan nicht zu denken. Jan war eigentlich immer dabei, hatte das Bühnenmonopol inne. Es gibt verschiedene Momente und Abschnitte unserer gemeinsamen Arbeit, über die ich schreiben könnte. Da wäre die Zeit als Assistenten bei Manfred Karges Kunstfestprojekten in Weimar Anfang der 90er-Jahre, dann die virtuelle Planung einer „Halle mit Kohle“, wie Jan das selbst betitelte, mit einer Reihe von Regie- und Schauspielstudenten der Busch-Hochschule Mitte der 90er, sowie die ersten Erfolge am Gorki und in Frankfurt Ende der 90er, oder als Jan zu Beginn des neuen Jahrtausends in selbstausbeuterischer Weise, die Nächte im Zug zwischen Berlin und Frankfurt verbringend, die Theaterneustarts von Schaubühne und TAT betrieb. Da mir die Gabe der anekdotischen Verdichtung nicht gegeben ist, werde ich aber einen abstrakten Aspekt von Jans Arbeit herausgreifen, der mir wichtig und substantiell zu sein scheint.

Meine These lautet: Jan Pappelbaum ist ein Fundamentalist. Und das meine ich im Wortsinne. Das Fundament ist etwas, das jede Architektur hat, der Grundstein, auf dem alles aufbaut. Der Grundriss beschreibt die Funktion.

Jan hat Architektur studiert, und das führte merkwürdigerweise nicht dazu, dass er Räume entwirft (oder vernachlässigbar selten), sondern Fundamente. Im Theater sagt man dazu auch: Podest. Diese Podeste gehen von den geometrischen Grundformen aus, variieren sie mit, bei dieser zunächst spartanischen Setzung, verblüffendem Einfallsreichtum und stehen solitär im Theaterraum. Dieser Umraum verschwindet nicht, wird auch nicht definiert, kann aber natürlich auch bespielt werden. Spieler und Zuschauer sollen sich in einem Raum befinden. Sie atmen dieselbe Luft.

Jan baut keine nachschleefschen Sperrholzschachteln, er baut Fundamente. (Alles, was darüber hinaus in der Vertikalen zu sehen ist, spielt im Stück mit, dass heißt, wird auch unbedingt gebraucht. Wände sind Spielelemente, keine Raumbegrenzung.) Warum tut er das? Das weiß ich auch nicht, aber ich kann versuchen darzulegen, wozu es führt. Erstmal führt es dazu, dass der Schauspieler nicht (oder sehr selten)

My first ten years in theater (with Robert Schuster) are unthinkable without Jan. Jan was always there, had the monopoly on set design. There are different moments and phases of our work together that I could write about. There was the time as assistant to Manfred Karge during the Art Festival projects in Weimar at the beginning of the 90s, then the virtual planning of a “theater with cash” as Jan himself called it, with a number of acting and directing students from the Busch Academy of Drama in the middle of the 90s, as well as the first successes at the Maxim Gorki and in Frankfurt at the end of the 90s, or when Jan began the new millennium exploiting himself by spending the nights on the train between Berlin and Frankfurt, powering the new beginnings of the Schaubühne and Theater am Turm. Because I do not have a gift for anecdotal compression, I will pick out one abstract aspect of Jan’s work, one that seems important and substantial to me.

My thesis is this: Jan Pappelbaum is a fundamentalist. And I mean that literally. The foundation is something that every architecture possesses, the cornerstone upon which everything is built. The floor plan describes the function.

Jan studied architecture and strangely that did not lead him to design spaces (or not often enough to count), but rather foundations. In the theater we also call them podiums. These podiums are based on the basic geometrical forms, but, in this at first Spartan arrangement, they can vary with amazing ingenuity and stand solitary in the theater space. This surrounding space does not disappear, is not redefined, but can of course be acted in. Actors and audience should be in the same space. They are breathing the same air.

Jan does not build plywood boxes in a post-Einar Schleef fashion; he builds foundations. (Everything else that can be seen in the vertical plays a role in the piece, that is to say is also necessary. Walls are elements in the play, not spatial boundaries.) Why does he do that? I do not know, but I can try to explain what it leads to.

TOM KÜHNEL

THE FUNDAMENTALIST

First of all it leads to the actors never (or very seldom) touching the floor of the theater space. I cannot remember any of our work together (well, there was "German for Foreigners", but that does not count) in which the actors played mainly on the actual stage floor. That does not matter you might object, but Jan seems to think it does matter, and we are talking about him here. The actor always steps onto "holy ground, enclosed, sacred space, in which special rules apply" (Homo ludens).

And so most of Jan's concentration, if not all his love, is dedicated to the floor, that is to say its materiality. (The linoleum in "Arabian Night" was, for example, polished before every performance. The floor stands for the world of the play that is entered.)

And the actor is elevated, held up; his three-dimensionality is emphasized. Thus on display and at the same time subject to the gaze of the audience, free for appraisal. Jan's stage is always also a political stage in so far as the rules of play are always visible and so can always be changed in the Brechtian sense. The actor does not find himself in a frame that removes him from the world of the audience, not belonging to that world. But he also is not sitting in the audience's lap. This paradox of heightening the physical presence of the actor and the distancing (emphasizing) that accompanies it constitutes the iridescent charm of Jan's stage solutions.

Earlier you could be tempted to walk around Jan's sets, contemplating them simultaneously as sculpture. Since the rotating stage has been employed, it is no longer a problem.

An image is totalitarian. In this sense, Jan is not a set designer. He does not create images. He is a fundamentalist.

Like a house in a landscape, Pappelbaum's solitaire stands in the theater space. It does not assert itself absolutely, as a stage that means the world. It says: I am only a selection, and a functioning one, which does its duty to the play.

How does Jan guarantee this functional aspect? Easy: he reads the play very closely and produces sketches for

den Boden des Theaterraumes betritt. Ich kann mich an keine gemeinsame Arbeit erinnern (doch: „Deutsch für Ausländer", aber das zählt nicht), bei der die Schauspieler hauptsächlich auf dem eigentlichen Bühnenboden gespielt hätten. Ist doch egal, kann man hier einwenden, aber Jan scheint es nicht egal gewesen zu sein, und um ihn geht's hier schließlich. Immer betritt der Schauspieler „geweihten Boden, umzäuntes, geheiligtes Gebiet, in dem besondere Regeln gelten" (Homo ludens).

Und so gilt dem Fußboden, also dessen Materialität, wenn schon nicht Jans ganze Liebe, so doch ein Großteil seiner Aufmerksamkeit. (Das Linoleum in der „Arabische(n) Nacht" wurde z. B. vor jeder Vorstellung gebohnert.) Der Fußboden steht für die Welt des Stückes, die betreten wird.

Und der Schauspieler wird erhöht, herausgehoben, in seiner Dreidimensionalität betont. Also präsentiert und gleichzeitig den Blicken der Zuschauer ausgesetzt, zur Bewertung freigegeben. So ist Jans Bühne immer auch eine politische, insofern die Spielregeln erkennbar sind, und damit im Brechtschen Sinne veränderbar. Der Schauspieler befindet sich nicht in einem Rahmen, der ihn der Welt des Zuschauers entrückt, dieser nicht mehr zugehörig. Aber er sitzt ihm auch nicht auf dem Schoß. Dieses Paradox aus gleichzeitiger Steigerung der körperlichen Präsenz des Schauspielers durch seine Erhöhung, und der damit einhergehenden Distanzierung (Heraushebung) machen vielleicht den erisierenden Reiz von Jans Bühnenlösungen aus.

Schon früher konnte man versucht sein, um Jans Bühnen herumzugehen, sie gleichsam als Skulptur zu betrachten. Seit der Benutzung der Drehscheibe ist das kein Problem mehr.

Ein Bild ist totalitär. In diesem Sinne ist Jan kein Bühnenbildner. Er macht keine Bilder. Er ist ein Fundamentalist.

Wie ein Haus in der Landschaft steht der Pappelbaumsche Solitär im Theaterraum. Er setzt sich nicht absolut als Bretter, die die Welt bedeuten. Er sagt: Ich bin nur ein Ausschnitt, ein funktionaler dazu, der dem Stück seinen Dienst tut.

Wie gewährleistet Jan diesen funktionalen Aspekt? Ganz einfach: Er liest das Stück sehr genau und macht von allen vorkommenden Szenen Skizzen. Also nicht etwa von der Bühne in verschiedenen Stadien des geplanten Abends, sondern nur von der szenischen Handlung. Der Regisseur bekommt also den Ablauf des Stückes in gewisser Weise schon sehr früh zu sehen. Dann sucht Jan verschiedene Strukturlösungen, wobei er bei jedem Arbeitstreffen die beste, von ihm selbst favorisierte, immer als letzte vorstellt. Die Bühne entsteht um die Szenen herum. Am extremsten war das sicherlich bei „Weihnachten bei Ivanows", wo das Stück allein aus Platzgründen nur so gespielt werden konnte, wie von Jan vorgesehen. Das war allerdings auch eines der wenigen BühnenBILDER, wobei man anmerken muss, dass es sich eigentlich um fünf Bühnenbilder handelte.

Was würde passieren, wenn Jan gezwungen wäre, ständig in Guckkastensituationen zu arbeiten. Schließlich macht er sich immer zuerst darüber Gedanken, überhaupt eine theatrale Situation herzustellen, die Rahmenbedingungen zu schaffen.

Wahrscheinlich würde er beginnen, das Theatergebäude umzubauen, und so schließlich wieder bei seiner ursprünglichen Profession ankommen.

every scene in the play. That is, not of the stage in the various phases of the evening's performance, but only of the scenic action. In a certain sense, the director gets to see the action of the play very early. Then Jan looks for different structural solutions. At every working meeting he presents the best one, the one he favors, last. The set comes into being around the scenes. The most extreme example was certainly "Christmas with the Ivanows". There the play could only be acted as Jan intended because of the spatial constraints. That was, however, one of the few stage sets, where you had to say, that there were actually five sets.

What would happen, if Jan were constantly forced to work in proscenium stage situations? After all, he always thinks first about how to establish a theatrical situation, how to create a framework.

Most likely he would start reconstructing the theater building, so that in the end he would have returned to his original profession.

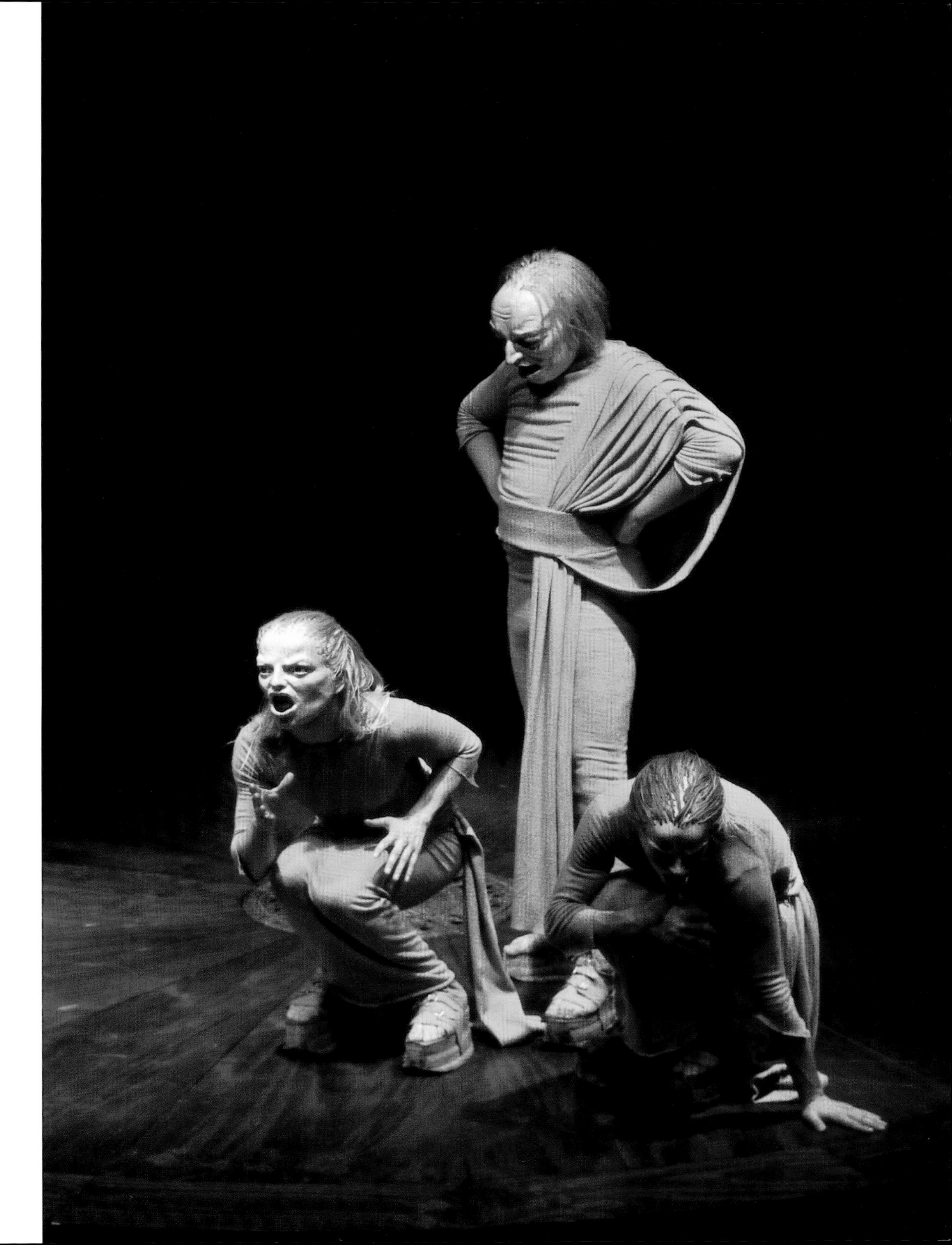

MOBI - HUB
MOBI - HUB
MOBI - HUB
BARACKE Schumannstr. 10

BARACKE Schumannstr. 10
10

EINGANG
MASKE

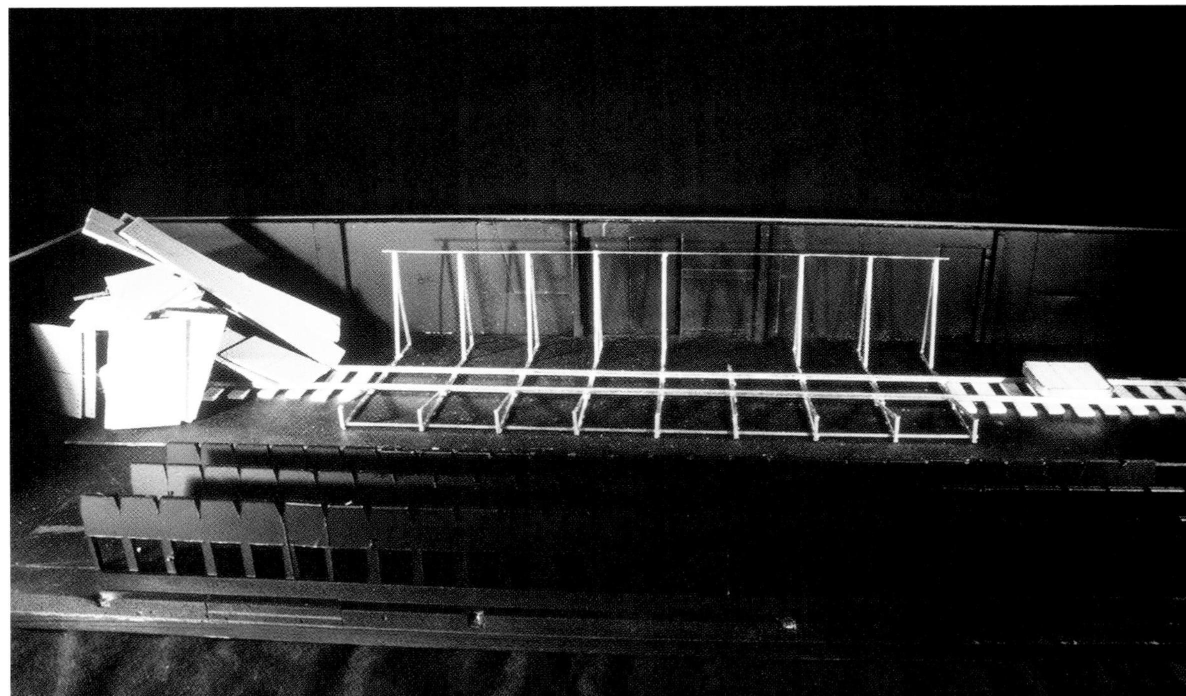

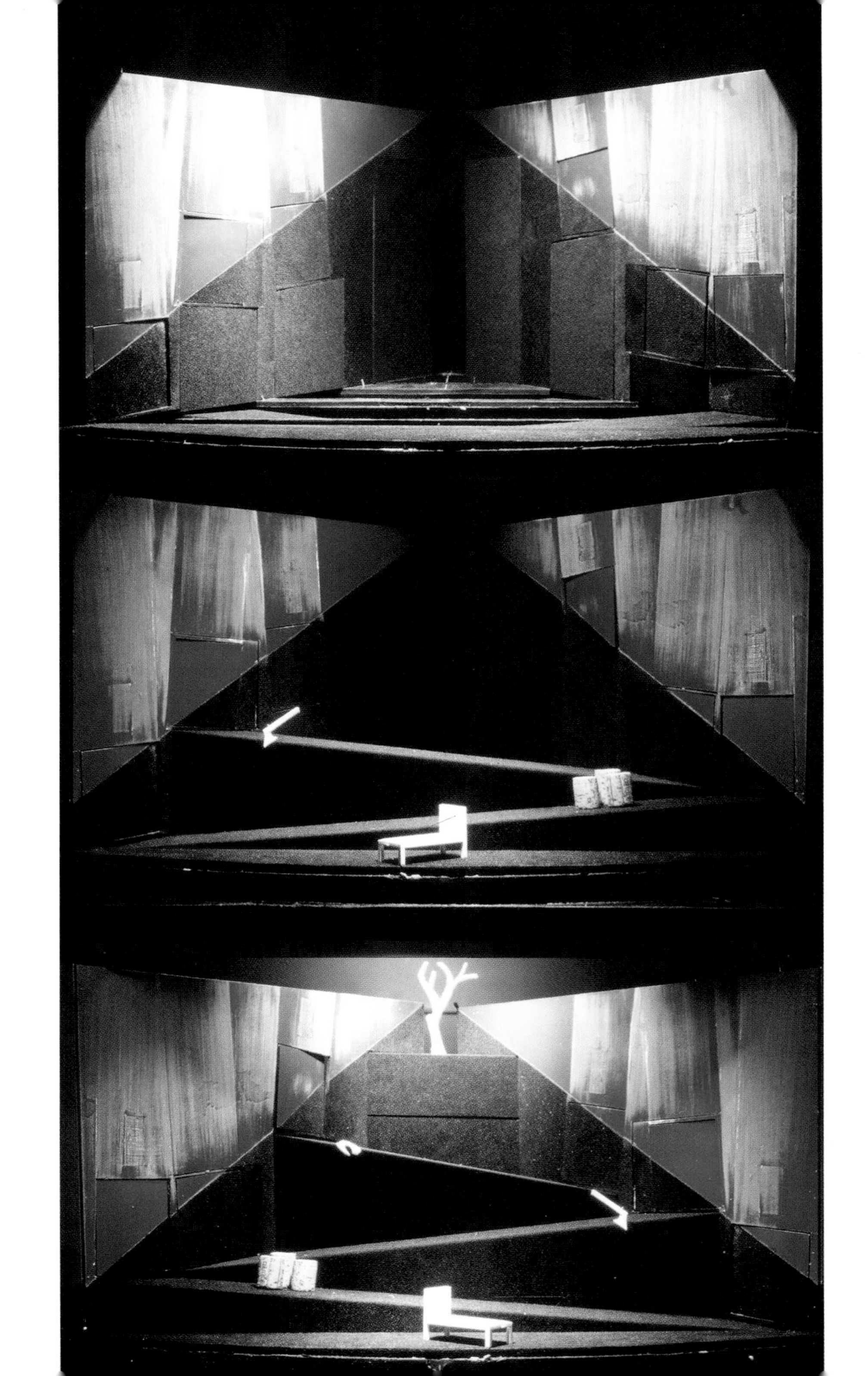

ROBERT SCHUSTER

AUF DER SUCHE NACH DEM „WIR“

Jan Pappelbaum lernte ich 1993 beim Kunstfest in Weimar kennen, und ich würde diese Zeit beschreiben als eine, in der wir und andere spätere Weggefährten uns als künstlerische Wesen zu begreifen und zu entwerfen versuchten: Wir, allesamt noch Assistenten, waren von der quälenden, aber auch sehr schönen Unruhe erfasst zu glauben, es besser zu wissen als die, die dort künstlerisch tätig waren. Beweisen mussten wir noch nicht sehr viel, darüber nachdenken, was Theater sein kann, konnten wir umso mehr.

Unsere bisher letzte gemeinsame Arbeit war „Europa“, ein dreiteiliger Lapdakidenzyklus am TAT im Jahre 2000. Dazwischen lagen sieben Jahre der verschiedensten künstlerischen und sozialen Experimente, die Jan, mich und andere intensiv verbanden. Es war rückblickend eine sicherlich für uns alle sehr privilegierte Zeit in unserem Leben.

Damals dachten wir, dass es etwas gibt, was sich nicht einzig aus der Subjektivität des Künstlers begreifen lässt. Wir waren beseelt von der Hoffnung, dass eine künstlerische Gemeinschaft zu höheren Wahrheiten vorstoßen kann als das innere Wahngebäude eines Einzelnen. Wir suchten das „Wir“ in der Arbeit, erfanden Pseudonyme, schrieben gemeinsame Texte, stellten das kollektive Ergebnis vor die Leistung des Einzelnen, die allzu oft als eitel diffamiert wurde. Das genialische „Ich“ war verpönt, und eine gewisse Angst davor nicht ausgeschlossen.

Jan Pappelbaum, der Bühnenbildner, bezog sein Denken aus der Tradition des Bauhauses. Es faszinierte ihn der Gedanke, dass Kunst in erster Linie als das gemeinsame Werk vieler Hände zu begreifen sei. Das innere Gesetz einer Form bzw. eines Raumes bildete den Blickwinkel seiner Suche, und er kam dort am weitesten, wo der Raum den Brennpunkt des in ihm stattfindenden Spieles bilden konnte. Es waren Räume, die zurücktraten vor dem, was in ihnen stattfand, es waren architektonische Räume und keine dekorierten Innenausstattungen.

Wenn ich an Jan denke, sehe ich seinen Arbeitsraum im TAT auf der Galerie über der Kasse vor mir, sehe riesige Modelle, entstanden in nächtlicher Arbeit. Es war sein Reich und dieser Ort entsprach ihm,

I met Jan Pappelbaum in 1993 at the Weimar Art Festival, and I would describe this time period as one in which we ourselves and other companions who joined us later were trying to understand and frame ourselves as artistic beings: we, all still assistants, were grasped by the painful, but still very beautiful, restlessness of thinking that we knew better than those who were artistically active there. We did not have to prove much yet, so we could think all the more about what theater could be.

The last project we worked on together was "Europe", a three-part play cycle on the descendents of Labdakos at the Theater am Turm (TAT) in 2000. Between those two points lie seven years of a great variety of artistic and social experiments that connected me, Jan, and others intensely. Looking back it was certainly a very privileged time of our lives for all of us.

Back then we thought there was something that could not be understood through the subjectivity of the artist alone. We were inspired by the hope that an artistic collective could reach higher truths than could the individual's inner house of illusion. We looked for the "we" in our work, invented pseudonyms, wrote texts together, placed the collective result above the performance of the individual, which was all to often called vain. The genius "I" was looked down upon and a certain fear of it was not to be excluded.

Jan Pappelbaum, the set designer, drew his thinking from the Bauhaus tradition. He was fascinated by the idea that art could be understood as first of all a work of many hands. The inner law of a form, or a space, respectively, formed the point of view for his search and he went furthest there, where space could form the center point of the action occurring inside it. They were spaces that took a step back from what was happening in them. They were architectonic spaces and not decorated interior designs.

When I think of Jan, I see his work room in the TAT in the gallery above the ticket counter. I see enormous models produced during the night. It was his realm and the location suited him, because he could be by himself there. Jan is a protestant worker through and through. He never came to a meeting unprepared. He constantly confronted us with his industriousness and found the institution of vacations to be completely superfluous in society.

If I think more about Jan, I remember, that I too much liked visiting him in his isolated realm. Whenever doubt grabbed me, I went to see him. Our often dogmatically practiced ideals, which hung themselves up more and more on the fetish of the uniform salary, were driving us all crazy. With Jan I was sure that he would calm me down, would give me the impression that all the work was worthwhile, and we all would not give up.

But at the end of this period, everything turned out completly differently.

Jan is a person who always choses the biggest work challenge he is confronted with. And just like Jan pursuing his professional career at the much larger theater of the Schaubühne am Lehniner Platz, I too began to reinvent myself artistically, to replace cooperative determination with personal determination and leave some conceptions of the enemy behind me.

It is probably no accident that we have not found an opportunity to work together since then – we who often set ourselves the goal of an artistic "we" with the greatest radicalism and warmed by the highest moral pretensions. Still: I would do it all over again, just the way we did it in our first years in the theater.

weil er dort auch ein wenig für sich sein durfte. Jan ist ein durch und durch protestantischer Arbeiter. Nie ging er unvorbereitet in ein Arbeitstreffen, konfrontierte uns stets mit seinem Fleiß und fand, dass die Einrichtung des Urlaubs eine vollkommen überflüssige in der Gesellschaft sei.

Wenn ich weiter an Jan denke, kommt mir die Erinnerung, dass ich ihn allzu gern in seinem abgeschiedenen Reich aufsuchte. Wenn mich der Zweifel packte, ging ich zu ihm. Unsere oftmals dogmatisch praktizierten Ideale, die sich scheinbar immer mehr um den Fetisch der Einheitsgage rankten, machten uns letztlich alle Kopfzerbrechen. Bei Jan war ich mir sicher, dass er mich zur Ruhe brachte, dass er mir das Gefühl gab, die ganze Mühe lohnt sich und aufgeben werden wir alle nicht.

Am Ende dieser Zeit kam dann alles ganz anders.

Jan ist ein Mensch, der sich immer für die größte sich ihm bietende Arbeitsaufgabe entscheidet. Und so wie Jan den beruflichen Weg an dem sehr viel größeren Haus der Schaubühne am Lehniner Platz suchte, begann auch ich mich neuerlich künstlerisch zu entwerfen, die Mitbestimmung durch die Selbstbestimmung zu ersetzen und so manches Feindbild schmerzlich hinter mir zu lassen.

Vermutlich ist es kein Zufall, dass wir seither keine Gelegenheit fanden, wieder miteinander zu arbeiten – wir, die wir oftmals mit der größten Radikalität und gewärmt von hohen moralischen Ansprüchen, uns das künstlerische „Wir" als Ziel setzten. Dennoch: Ich würde alles noch einmal so machen, wie wir es gemacht haben in unseren ersten Jahren im Theater.

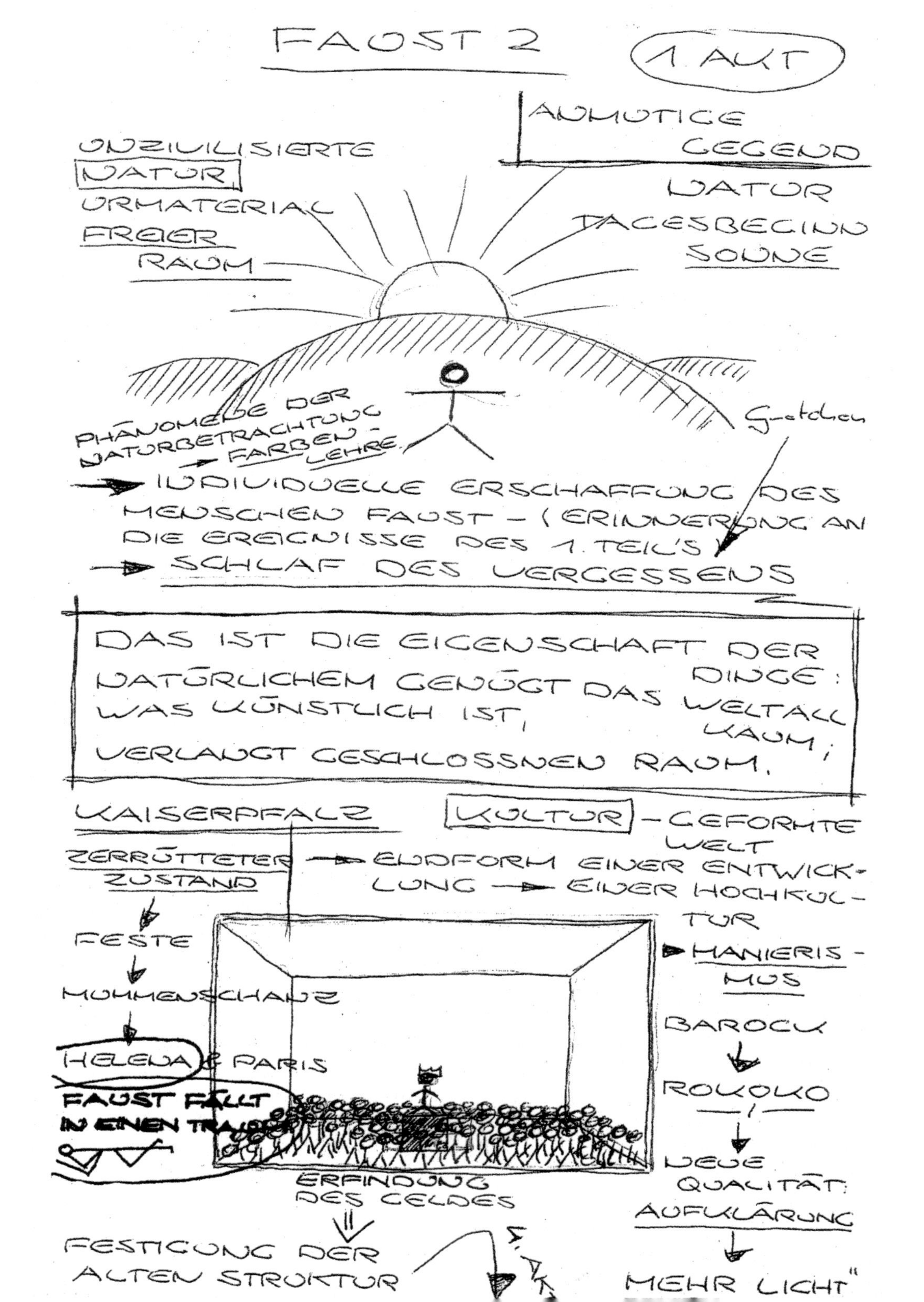
FAUST 2
1 AKT
ANMUTIGE GEGEND
UNZIVILISIERTE NATUR
URMATERIAL
FREIER RAUM
NATUR
TAGESBEGINN
SONNE
PHÄNOMENE DER NATURBETRACHTUNG
→ FARBENLEHRE
Gretchen
→ INDIVIDUELLE ERSCHAFFUNG DES MENSCHEN FAUST – (ERINNERUNG AN DIE EREIGNISSE DES 1. TEIL'S)
→ SCHLAF DES VERGESSENS
DAS IST DIE EIGENSCHAFT DER DINGE:
NATÜRLICHEM GENÜGT DAS WELTALL KAUM;
WAS KÜNSTLICH IST, VERLANGT GESCHLOSSNEN RAUM.
KAISERPFALZ
KULTUR – GEFORMTE WELT
ZERRÜTTETER ZUSTAND → ENDFORM EINER ENTWICKLUNG → EINER HOCHKULTUR
→ MANIERISMUS
BAROCK
ROKOKO
NEUE QUALITÄT:
AUFKLÄRUNG
„MEHR LICHT"
FESTE
MUMMENSCHANZ
HELENA & PARIS
FAUST FÄLLT IN EINEN TRAUM
ERFINDUNG DES GELDES
FESTIGUNG DER ALTEN STRUKTUR

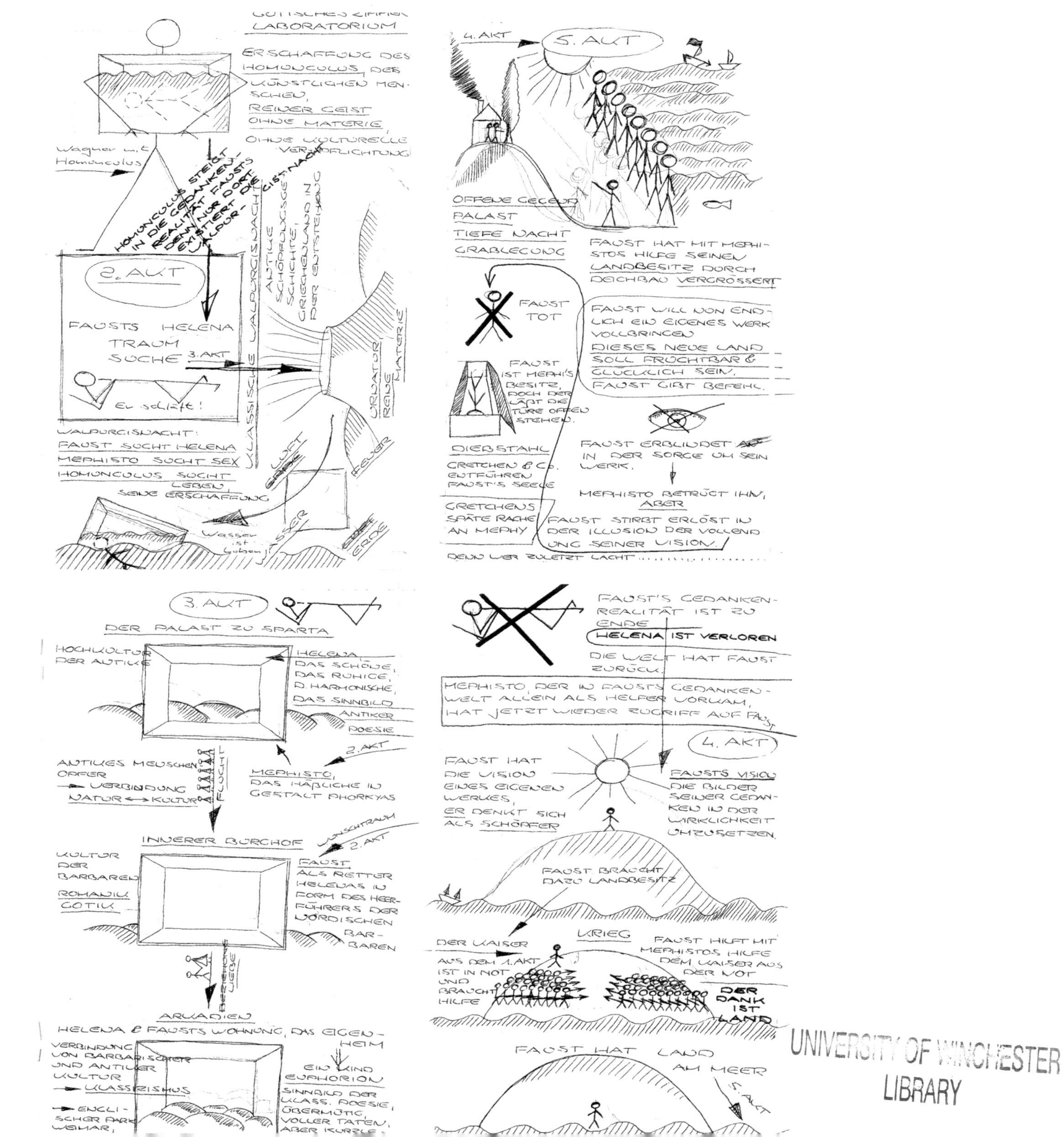
LABORATORIUM
ERSCHAFFUNG DES HOMUNCULUS, DES KÜNSTLICHEN MENSCHEN,
REINER GEIST
OHNE MATERIE
OHNE KULTURELLE VERPFLICHTUNG
Wagner mit Homunculus
HOMUNCULUS STEIGT IN DIE GEDANKENREALITÄT FAUSTS DENN NUR DORT EXISTIERT DIE KULTUR-GEISTNACH
2. AKT
FAUSTS TRAUM
HELENA SUCHE
3. AKT
Er schläft!
KLASSISCHE WALPURGISNACHT
ANTIKE SCHÖPFUNGSGESCHICHTE, GRIECHENLAND IN DER ENTSTEHUNG
URNATUR REINE MATERIE
WALPURGISNACHT:
FAUST SUCHT HELENA
MEPHISTO SUCHT SEX
HOMUNCULUS SUCHT LEBEN, SEINE ERSCHAFFUNG
LUFT
FEUER
WASSER
ERDE
Wasser ist Leben
4. AKT
5. AKT
OFFENE GEGEND
PALAST
TIEFE NACHT
GRABLEGUNG
FAUST HAT MIT MEPHISTOS HILFE SEINEN LANDBESITZ DURCH DEICHBAU VERGRÖSSERT
FAUST TOT
FAUST WILL NUN ENDLICH EIN EIGENES WERK VOLLBRINGEN
DIESES NEUE LAND SOLL FRUCHTBAR & GLÜCKLICH SEIN.
FAUST GIBT BEFEHL.
FAUST IST MEPHI'S BESITZ, DOCH DER LÄßT DIE TÜRE OFFEN STEHEN.
DIEBSTAHL
GRETCHEN & Co. ENTFÜHREN FAUST'S SEELE
FAUST ERBLINDET IN DER SORGE UM SEIN WERK.
MEPHISTO BETRÜGT IHN, ABER
GRETCHENS SPÄTE RACHE AN MEPHY
FAUST STIRBT ERLÖST IN DER ILLUSION DER VOLLENDUNG SEINER VISION.
DENN WER ZULETZT LACHT ....
3. AKT
DER PALAST ZU SPARTA
HOCHKULTUR DER ANTIKE
HELENA, DAS SCHÖNE, DAS RUHIGE, D. HARMONISCHE, DAS SINNBILD ANTIKER POESIE
ANTIKES MENSCHENOPFER
VERBINDUNG NATUR ↔ KULTUR
FLUCHT
2. AKT
MEPHISTO, DAS HÄßLICHE IN GESTALT PHORKYAS
INNERER BURGHOF
KULTUR DER BARBAREN
ROMANIK
GOTIK
WUNSCHTRAUM
2. AKT
FAUST ALS RETTER HELENAS IN FORM DES HEERFÜHRERS DER NORDISCHEN BARBAREN
BEZIEHUNG LIEBE
ARKADIEN
HELENA & FAUSTS WOHNUNG, DAS EIGENHEIM
VERBINDUNG VON BARBARISCHER UND ANTIKER KULTUR
KLASSIZISMUS
ENGLISCHER PARK WEIMAR,
EIN KIND EUPHORION
SINNBILD DER KLASS. POESIE, ÜBERMÜTIG, VOLLER TATEN, ABER KURZLE
FAUST'S GEDANKENREALITÄT IST ZU ENDE
HELENA IST VERLOREN
DIE WELT HAT FAUST ZURÜCK.
MEPHISTO, DER IN FAUSTS GEDANKENWELT ALLEIN ALS HELFER VORKAM, HAT JETZT WIEDER ZUGRIFF AUF FAUST
4. AKT
FAUST HAT DIE VISION EINES EIGENEN WERKES, ER DENKT SICH ALS SCHÖPFER
FAUSTS VISION DIE BILDER SEINER GEDANKEN IN DER WIRKLICHKEIT UMZUSETZEN.
FAUST BRAUCHT DAZU LANDBESITZ
KRIEG
DER KAISER AUS DEM 1. AKT IST IN NOT UND BRAUCHT HILFE
FAUST HILFT MIT MEPHISTOS HILFE DEM KAISER AUS DER NOT
DER DANK IST LAND
FAUST HAT LAND AM MEER
5. AKT

AT-Anfänge 1: Sprechen lernen

PERSONENKREIS 3.1 | 2000

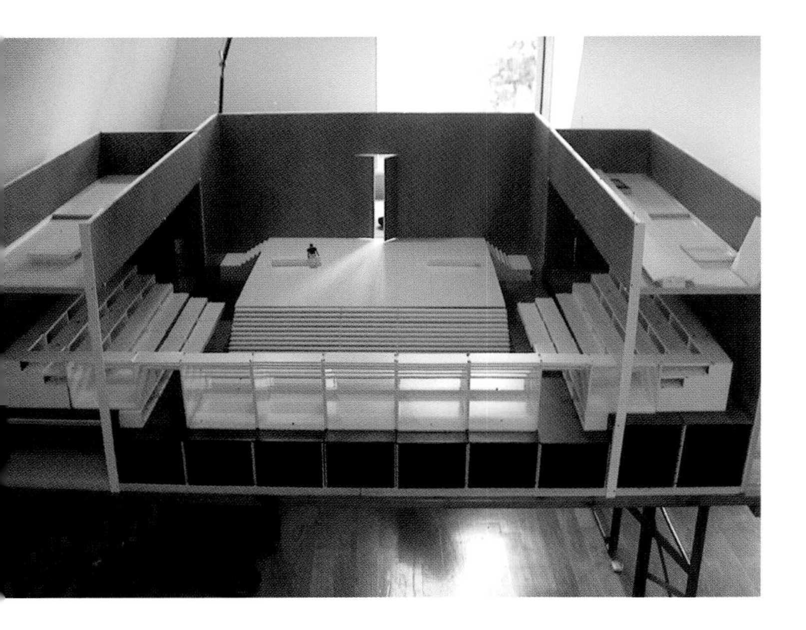

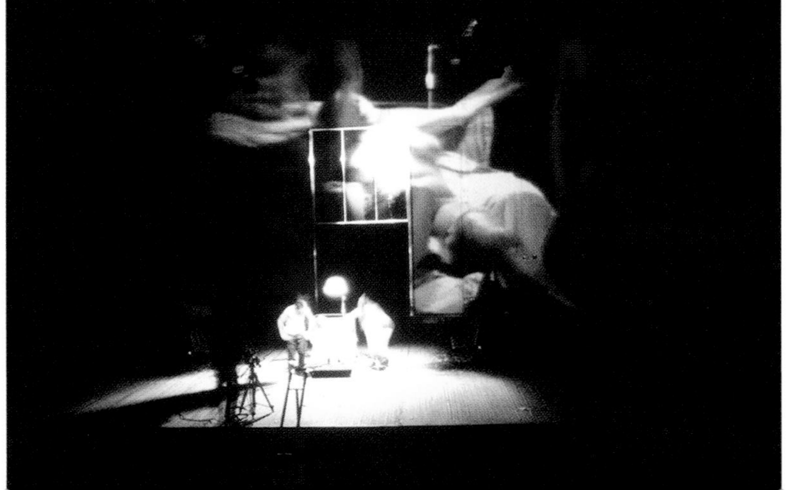

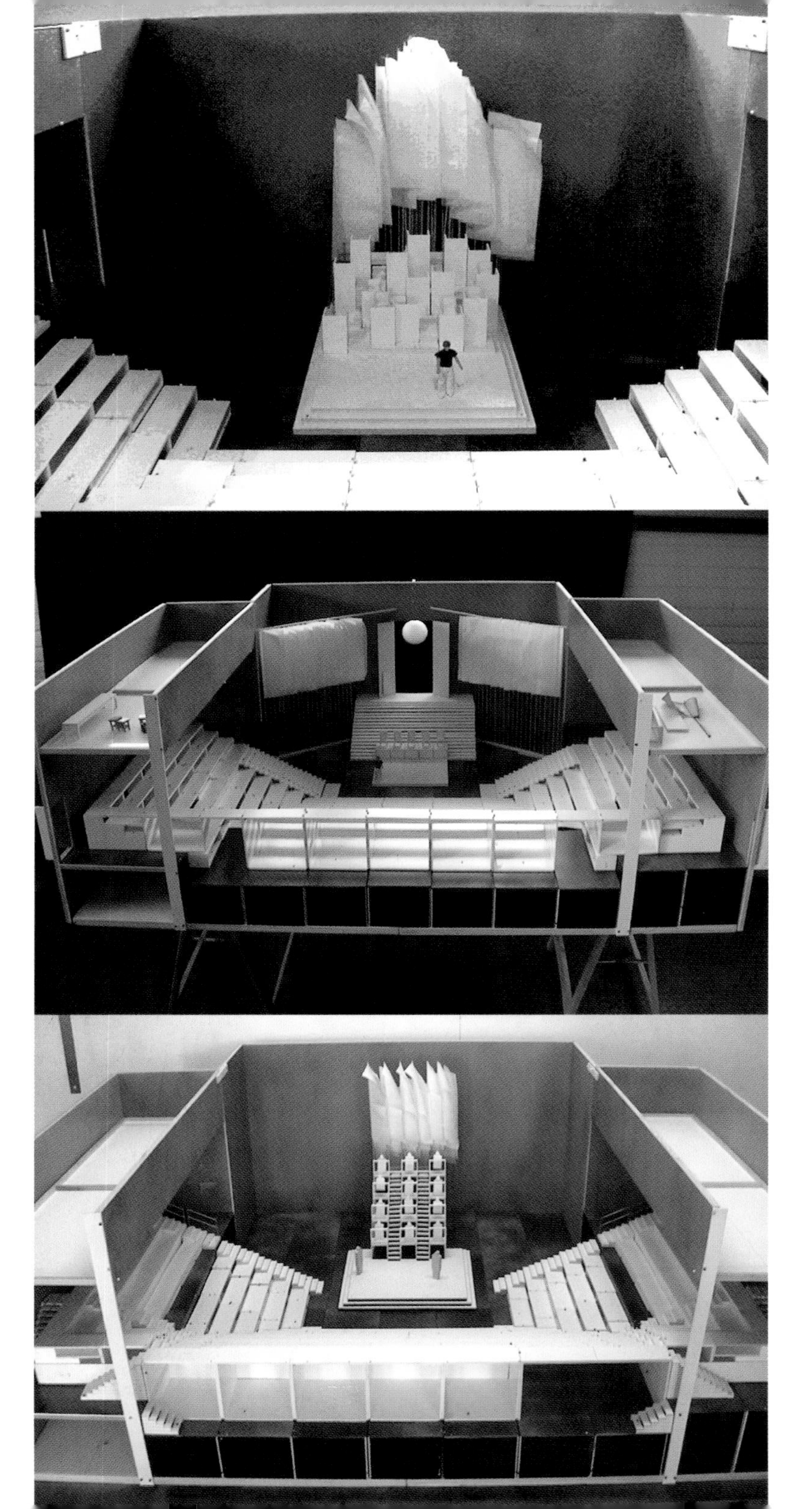

BELGIUM
BENIN
BULGARIA
BURKINA FASO
GUINEA-BISSAU
INDIA
ISRAEL
LIBERIA

Städtische Bühnen
Das TAT
Das TAT
DIE KUNST
DIE MÖWE
REGIE STECKEL
AB 15. 9. 2000

ANDREA MOSES

EIN GUTER ARCHITEKT MACHT AUCH AUS EINER HUNDEHÜTTE EINEN PALAST

Die Begegnung mit einem Raum: Ballhaus Hannover, 1999, Faust-Ensemble, Peter Stein.

Der für mein Parallelprojekt zuständige Bühnenbildner hat mit dem „Faust" vollauf zu tun.

Ich rufe Pappelbaum an; dann: Der lange Mann steht lange schweigend in einem schwarzen, leeren Raum. Es geht um „Demetrius" nach Puschkin, Hebbel und Schiller.

Und ich fasse noch einmal zusammen: Ich habe zwei Staaten und will meine 22 Figuren immer auf der Bühne, damit sie sich gegenseitig belauern und beobachten können. Es gilt, ein Modell für politisches Handeln zu entwerfen. Strategie und Taktik. Die verfeindeten Lager sollen Zug um Zug spielen wie beim Schach, einer (Grigorij, später Demetrius) darf springen zwischen beiden Lagern, und es braucht ein Bild für den Eroberungskrieg: Polen okkupiert Russland, Russland schlägt am Ende zurück.

„Sag mal, Moses", fragt der lange Mann im schwarzen, leeren Raum endlich, „du liebst doch rollende Tische." Wie immer, von der genauen Betrachtung der vorgefundenen Architektur ausgehend, entschied sich der Liebhaber des leeren Raumes, mir zwei extrem lange, aus verschiedenen Materialien gefertigte Tafeln auf Rollen vorzuschlagen, zwischen je zwei vorhandene Säulen zu setzen, im 45 Grad-Winkel zueinander. Die Polen um und an, hinter und vor und unter und auf der einen Tafel, und die Russen um, an, hinter, unter, auf der anderen. Zur Kriegserklärung der Polen gegen Godunow drehen sich die Tafeln einfach und ergreifend gegeneinander, Speerspitze gegen Moskau, schließlich schiebt sich die eine über die andere. Das reichte. Und kostete fast nichts.

Die Begegnung mit einer Kolchose: Linnatheater Tallinn, 2001. Tallinn kommt an im Kapitalismus. Das Goethe-Institut lädt uns ein. Wir fliegen und erleben den Systemwechsel, den wir bereits erlebt haben, noch einmal. „Clavigo" erzählt von der Sucht nach Status, Ruhm und dem Preis, den der Mensch dafür zahlt. Ich will keine Sentimentalitäten, sondern Figuren, die ihr jeweiliges Potential auf den Markt der erwachenden Öffentlichkeit tragen und Profit daraus schlagen wollen. Von Siegern, die zu Verlierern werden, von Verlierern, denen es auch

An encounter with a space: Ballhaus Hannover, 1999, Faust-Ensemble, Peter Stein.

The stage designer responsible for my parallel project has his hands full with Faust.

I call Pappelbaum. The tall man stands silent for a long time in a black, empty room. The topic is "Demetrius" based on Pushkin, Hebbel, and Schiller.

I recapitulate: I have two countries and want to have my twenty-two characters on stage at all times, so that they can stalk and watch each other. It is necessary to design a model for political action. Strategy and policy. The opposing camps are supposed to play move for move, as in chess. One of them (Grigorij, later Demetrius) can move between the two camps. And we need an image for the war of conquest: Poland occupies Russia, and Russia strikes back in the end.

"Tell me, Moses," says the tall man in the black, empty room, "you like rolling tables, don't you?" Based on the exact observation of the found architecture, as always, the lover of empty space suggested making me two extremely long tables on wheels to put between two existing columns and set at forty-five degree angles to each other. The Polish around, on, behind, in front of, over, and under the one table, the Russians around, on, behind, in front of, over, and under the other. When the Polish declare war against Godunov, the tables simply and grippingly turn towards each other. A spearhead against Moscow. In the end the one table is pushed over the other. That was enough. And it cost almost nothing.

An encounter with a collective farm: Linnatheater Tallinn, 2001. Tallinn arrives in capitalism. The Goethe-Institute invites us. We fly there and experience again the same change of system that we have already experienced. "Clavigo" is about addiction to status, fame, and the price human beings pay for that addiction. I do not want any sentimentality, but rather characters that each carry their potential to the market of the awakening public sphere and try to turn it into profit. Of winners who become losers.

Of losers who do not profit from selling their suffering. A big show. It is about ruthless self-portrayal, about the stylization of the self, and about the brutal selling off of all values. Pappelbaum does not build a TV studio, but rather an enormous seesaw, a catwalk.

A board eleven meters long and three meters wide. Underneath it he installs a hydraulic pump. In the pointed corner, the board is like a foreign body in the medieval theater. The audience sits on three sides of this board; the persons acting are always under public pressure. The board becomes a dangerously swinging career ladder. The board imposes a certain form, a breathless artistry.

The board can swing. The board turns over. You slip from the board.

A crib (on wheels!) on it for Marie Beaumarchais, nothing else.

No chairs, no cups, no feathers – especially challenging for the grandiose Stanislavsky actors. They master the challenge with bravura. But how do you build a set like that, when the theater in an old castle has made do with chairs, cups, and feathers up until now?

No set shop in sight. The theater management has the idea of building our seesaw on a former collective farm by the former locksmiths of this farm. Pappelbaum stands amazed in the Estonian boondocks in between cows and rusted tractors. The construction is built. But how can we get it into the medieval castle, into the topmost room in which we are supposed to perform. When our tall man wants to walk through a door there he has to bend himself into a right angle. A crane is needed. And it worked! "Clavigo" in Tallinn was an event. The reaction of the participants to our work made us happy and filled up our emotional tanks enough to last for a couple of years in the German state theater system. Said the tall man in the end. Hopeful.

An encounter with a real space: Hoyerswerda, 2003. An interesting experiment for both of us. To be archeologists, but not in the-

nichts nützt, ihr Leid zu verkaufen. Eine große Show also. Es geht um rücksichtslose Selbstdarstellung, Stilisierung des Selbst und die brutale Veräußerung aller Werte. Pappelbaum baut kein TV-Studio, sondern eine riesige Wippe, einen Laufsteg.

Ein elf Meter langes und drei Meter breites Brett, darunter montiert er eine Hydraulikpumpe. Das Brett steht im spitzen Winkel wie ein Fremdkörper in einem mittelalterlichen Theatersaal. Das Publikum sitzt in drei Seiten um dieses Brett herum, die handelnden Personen sind permanentem Öffentlichkeitsdruck ausgesetzt. Das Brett wird zur bedrohlich schwankenden Karriereleiter. Das Brett zwingt zur Form, zu atemloser Artistik.

Das Brett kann schaukeln. Das Brett kippt um. Von diesem Brett rutscht man ab.

Ein Kinderbett (rollend!) darauf für Marie Beaumarchais, sonst nichts.

Kein Stuhl, keine Tasse, keine Feder – besonders für die grandiosen Stanislawski-Spieler eine Herausforderung, die sie mit Bravour bewältigen. Aber wie ein solches Bühnenbild bauen, wenn das Theater, sich in einer alten Burg befindend, bisher nur mit Stuhl, Tasse und Feder ausgekommen ist?

Keine Werkstätten in Sicht. Die Theaterleitung kommt auf die Idee, unsere Wippe in der Halle einer ehemaligen Kolchose, von ehemaligen Schlossern eben dieser Kolchose bauen zu lassen. Pappelbaum steht irgendwo in der estnischen Pampa zwischen Kühen und verrosteten Traktoren und staunt. Die Konstruktion entsteht. Aber wie den Körper in die mittelalterliche Burg, den obersten Saal, in dem wir spielen sollen, hineintransportieren? Wenn unser langer Mann dort auch nur durch eine Tür gehen wollte, musste er sich fast in den rechten Winkel krümmen ... Ein Kran musste her. Und es gelang! „Clavigo“ in Tallinn wurde zum Ereignis. Die Reaktion aller Beteiligten auf unsere Arbeit war beglückend und füllte unseren emotionalen Haushalt so auf, dass es bestimmt für einige Jahre im deutschen Stadttheatersystem reichen würde. Meinte der lange Mann am Ende. Hoffnungsvoll.

Die Begegnung mit dem realen Raum: Hoyerswerda, 2003. Ein reizvoller Versuch für uns beide, Archäologen zu sein, aber nicht im Theater-, sondern im realen Raum. Begegnung mit einer sterbenden Stadt, einst Bühne zur Repräsentation der Errungenschaften des Sozialismus, heute nur noch ein Mythos. Wir fahren in die Lausitz. Das Projekt heißt SUPERUMBAU.

Die Neustadt, fehlgeschlagene Idee einer Architektur für den „Neuen Menschen", wird abgerissen. Die erst vor wenigen Jahrzehnten erbauten Wohnblocks gähnen uns an in ihrer gespenstigen Leere. Ich caste Übriggebliebene, Menschen der Aufbaugeneration, um mit ihnen ein Stück über die Errichtung der „Schlafstadt" für die Arbeiter des größten Braunkohleveredelungswerkes der DDR einzustudieren. Spielen sollen sie Alfred Matusches „Kap der Unruhe" (1968). Der Raum, den wir dafür finden: die Baracke eines ehemaligen Kindergartens mit Blick auf einen Wohnblock, der während des Projektes SUPERUMBAU abgerissen wird. Pappelbaum empfindet die Situation der 60er-Jahre nach. Er rekonstruiert die Physis des Raumes mit dem Gedanken, das Stück in seiner Determiniertheit 35 Jahre später verstehbar zu machen. Er sammelt Doppelstockbetten, Spinde, Tische, Originalutensilien, setzt für seine Verhältnisse ungewöhnlich viele kleine Zeichen des Alltags einer Bauarbeiterbrigade in die Baracke. Pappelbaum will perfekt museal nachstellen, und es gelingt ihm. Meine Darsteller gehen mit dem „reanimierten" Raum und den Requisiten um, als wäre keine Zeit vergangen. Die alten Leute werden wieder jung und spielen ihre Geschichte, den finalen Abriss der Symbole dieser, ihrer Geschichte direkt vor den Augen. Die Konflikte von damals werden nachvollziehbare Spuren ins Heute. Die Zuschauer sitzen auf den Doppelstockbetten, werden gleichsam Elemente der Rauminstallation und dadurch Teil der Realität des Raumes. Sie erzeugen eine enge, schwüle Atmosphäre mit, die, gemischt mit dem Schweiß der Darsteller und der Sommerhitze, wie damals erscheint, als der „Neue Mensch" nahezu ohne Intimsphäre leben lernen musste, die Gleichzeitigkeit von öffentlich und privat SEIN ertragen und die Kollegen seine Freunde sein sollten, mit denen man alles teilt, „für die Sache".

Der lange Mann und ich stehen in einer Ecke der überfüllten Baracke und wir haben das Gefühl, dass Theater auch einen bleibenden Wert haben kann. Im realen Raum ...

ater space, but in real space. An encounter with a dying city. At the same time a stage for representing the accomplishments of socialism. Today it is just a myth. We go to the Lausitz. The project is called SUPERUMBAU.

The new part of the city, an abortive idea of an architecture for New Humans, is being torn down. The apartment buildings, built just a few decades ago, yawn at us with their ghostly blankness. I cast leftover people, people from the generation of the builders to practice a play about the construction of a "sleep city" for the workers of the largest coal processing plant in the GDR. They are supposed to perform Alfred Matusche's "Cape of Discontent" (1968). The space we find for this: the barracks of a former kindergarten with a view of an apartment that will be torn down during the project The Great Renovation – Superumbau. Pappelbaum feels his way into the situation of the 60s. He reconstructs the physicality of the space with the idea of rendering its determinedness understandable thirty-five years later. He collects bunk beds, lockers, tables, original utensils, and places many little signs of everyday life in the barracks – more than is usual for him. Pappelbaum wants to recreate things like a perfect museum, and he succeeds. My actors go along with the "reanimated" space and props as if no time had past. The old people become young again and perform their story, with the demolition of this, their story, directly before their eyes. The old conflicts become understandable tracks leading into today. The audience sits in bunk beds, becoming elements of the installation at the same time and thereby part of the reality of the space. They produce a cramped, hot atmosphere, which, when mixed with the sweat of the actors and the summer heat, seems like it was back then, when the New Humans had to learn to live almost without privacy, to tolerate the simultaneity of public and private being, to have only their colleagues for friends with whom one shared everything "for the cause."

The tall man and I stand in a corner of the overcrowded barracks and we feel like theater can have lasting value. In real space ...

Pappelbaum is a set designer who frees the fantasy and forces one to search for special ways of performing: he reduces everything to one detail and does not make the slightest move to illustrate the battles of nations. He develops a compressed architecture for the conceptual basic ideas and not sets of illusion (at least not for me.)

The illusion arises through the interaction of the actor with the signs Pappelbaum places in the space. The actor does not need naturalistic scenery to act out a situation. You could call this the liberation of the actors, but it also entails more work for them. Pappelbaum places the actors on a pedestal and displays their monstrous power and their vulnerability at the same time.

He builds spaces for them that they can ruin and fill with history. He builds anew.

The space is idea, expression of a conception and only during the production does itbecome a battle ground. The human traces are not laid until the evening of the event.

He does not build spaces in which one can already see the battles, prisons, from which no one leaves. There is always a way out with Pappelbaum.

Pappelbaum is a projector. Also a functionalist. Everything that cannot be used is left off the stage. Weimar and Bauhaus have shaped him and he me.

Pappelbaum ist ein Bühnenbildner, der Phantasie freisetzt und die Suche nach speziellen Spielweisen erzwingt: Er reduziert auf ein Detail und unternimmt nicht den kleinsten Versuch, Völkerschlachten zu illustrieren. Er entwickelt eine komprimierte Architektur für die konzeptionellen Grundgedanken und keine Illusionsbühnenbilder (zumindest nicht für mich).

Die Illusion entsteht durch den Umgang des Schauspielers mit dem Zeichen, das Pappelbaum in den leeren Raum stellt. Denn der Schauspieler braucht keine naturalistische Kulisse, um eine Situation zu erspielen. Das könnte man auch als Befreiung des Schauspielers bezeichnen, ist aber auch mit mehr Arbeit für diesen verbunden. Pappelbaum hebt die Schauspieler auf ein Podest und stellt sie mit ihrer monströsen Kraft und gleichzeitigen Verwundbarkeit aus.

Er baut für sie Räume, die sie ruinieren können und mit Geschichte anfüllen. Er baut neu.

Der Raum ist Idee, Ausdruck einer Konzeption und wird erst während der Aufführung zum Schlachtfeld und die Spuren der Menschen werden erst am Abend des Geschehens gelegt.

Er baut keine Räume, denen die Schlachten schon anzusehen sind, Gefängnisse, aus denen niemand mehr herauskommt. Bei Pappelbaum gibt es immer einen Ausweg.

Pappelbaum ist Projektant. Auch ein Funktionalist. Alles, was nicht benutzt werden kann, kommt nicht auf die Bühne. Weimar und das Bauhaus prägten ihn und er mich.

CLAVIGO | 2000

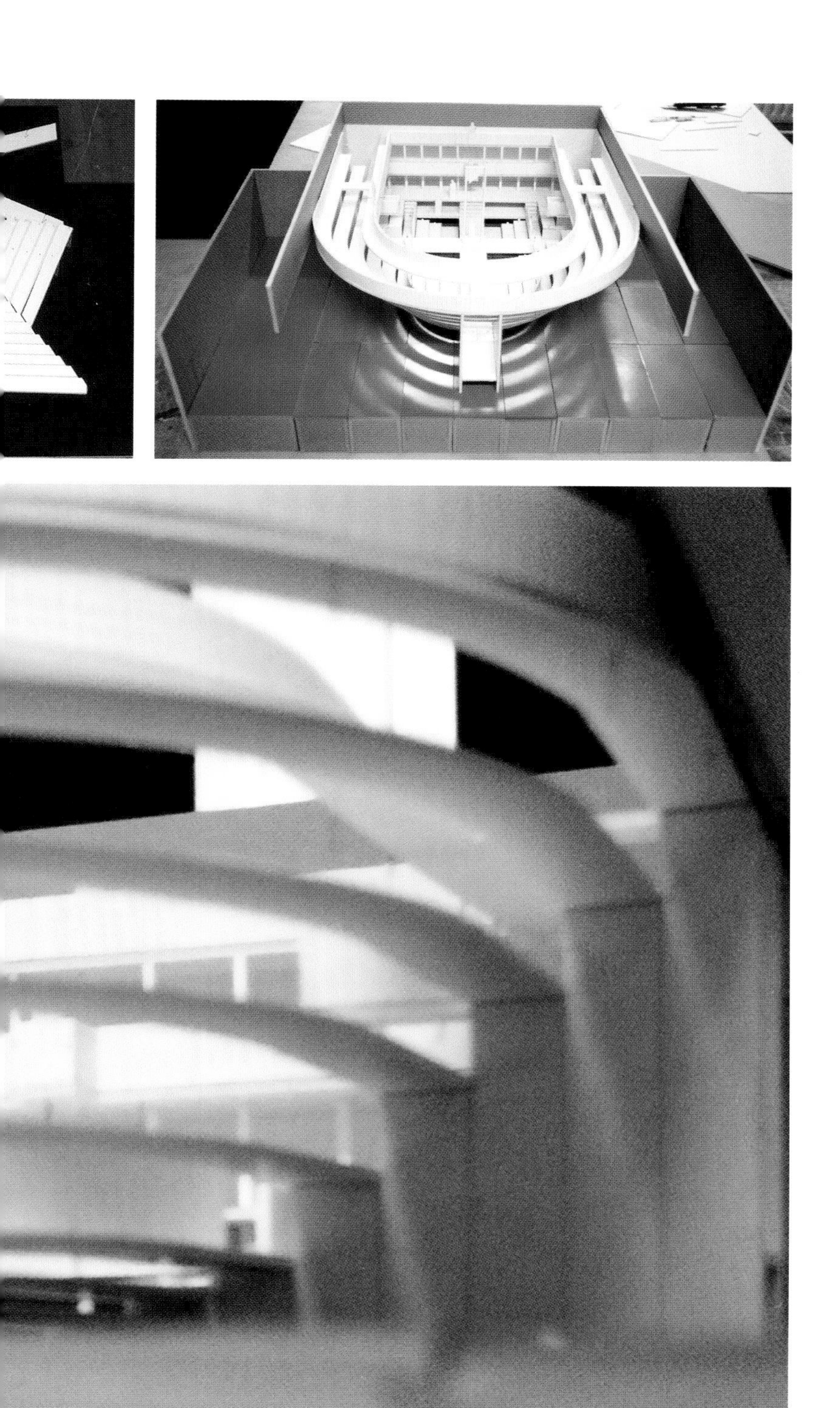

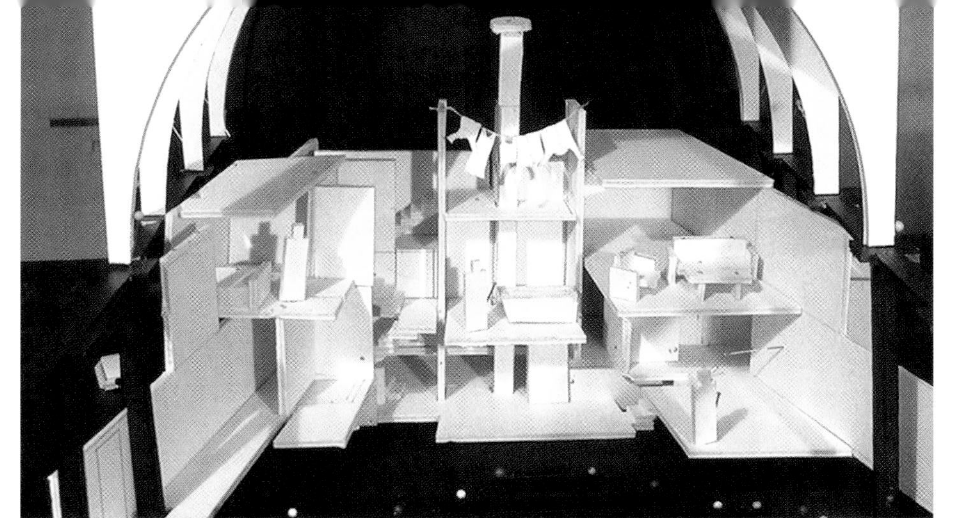

ANNE TISMER

STAU IM HOCHHAUS

was ich bei jan pappelbaum sehr mag sind die abgeschlossenen
räume
oder systeme
er stellt einen raum in einen raum hinein der gar nichts
mit dem anderen zu tun haben muss aber für sich alleine funktioniert
und das gefällt mir

zum beispiel:

2001 gab es „die arabische nacht" von roland schimmelpfennig
mit tom kühnel als regisseur
es handelt von fünf personen in einem hochhaus die sich jeweils
zunächst in ihrer
eigenen etage befinden und dann durch verschiedenartige um-
stände
anfangen
im hochhaus herumzulaufen also die treppe rauf die treppe runter
von einem stockwerk ins andere und sich aber nur manchmal dabei
begegnen
jan pappelbaum hat eine einzimmerwohnung große fläche
höchstens 20 quadratmeter auf stelzen gebaut
und da mittig quer eine tür in einer wand und mittig rechts noch
eine
treppe nach unten
hineingesetzt
in dieser einzimmerwohnung haben wir zu fünft oder eigentlich zu
viert
denn einer von uns war der hausmeister
der war dann sehr oft im hausflur was aber auch derselbe raum war
zusammen sehr schön romantisch nebeneinanderher gelebt
jeder hat so getan als wäre er alleine in seiner wohnung
dabei waren es eben verschiedene stockwerke und auch eine wohnung
vom hochhaus gegenüber das genauso gebaut war

what i really like in jan pappelbaum's work are the self-contained
spaces
or systems
he puts one space inside another space that has nothing
to do with the other but has to work by itself
and i like that

for example:

in 2001 there was an "arabian night" by roland schimmelpfennig
with tom kühnel as director
it is about five people in a high-rise who each
start out on their
own floors and then through various situations
start
to walk around the building go up and down the stairs
from one floor to the next and only sometimes
meet
jan pappelbaum built a single area the size of a one-room
apartment
at most 20 square meters on stilts
and in the middle at an angle a door in a wall and in the
middle to the right another
stairway going down
was placed
in this one-room apartment five or actually four of us
because one of us was the caretaker
who was very often in in the hall which was also the same room
lived together quite romantically actually
all of us acted as if we were alone in our own apartment
but it was really different floors and also an apartment
from the high-rise across the street which was built exactly the
same way

ANNE TISMER

TRAFFIC JAM IN THE HIGH-RISE

the door was the front door and bathroom door at the same
time in the door there was
a shower curtain
so the door was also the door to the shower i forgot to say
and i know i showered from time to time
and the door was also the elevator door
sometimes people came through the door and acted like they
were in the hall
because they had to go up or down the stairs
and sometimes when they came through the door they were in
the one-room apartment
as the case may be
most of the time we talked to ourselves and commented on
what we were doing at the moment
or where we were at the moment
we stood beside each other and one of us said he was in
the hall
the other said he was in the apartment sometimes on the
street
or in a market
because we also described our dreams or our
pasts
the most complicated thing was the stairs
at some point and for different reasons each of
us started
to walk around the building
up or down the stairs
and that was very difficult you went out in front of the door up
the stairs for
example
and behind the door hidden down a ladder again or
the reverse depending on whether you
went up or down
you had to pay attention so that the audience was not
completely

die tür war gleichzeitig haustür und badezimmertür in der
tür war
ein duschrollo
also war die tür auch die duschkabinentür habe ich noch vergessen
und ich weiß noch ich habe ab und zu geduscht
und die tür war auch die fahrstuhltür
manchmal kam man durch die tür herein und spielte man wäre im
hausflur
weil man die treppe rauf oder runter musste
und manchmal war man wenn man durch die tür kam in der
einzimmerwohnung
je nachdem
die meiste zeit haben wir mit uns selber gesprochen und kommentiert
was wir gerade taten
oder wo wir uns gerade befanden
wir standen also nebeneinander und der eine von uns sagte er sei im
hausflur
der andere er sei in der wohnung manchmal auch auf der straße
oder
auf einem basar
weil wir auch unsere träume beschrieben haben oder unsere
vergangenheit
das komplizierteste war die treppe
irgendwann fingen wir nämlich jeder aus verschiedenen beweg-
gründen an
im hochhaus herumzulaufen
die treppe entweder rauf oder runter
und das war sehr schwierig man ging vor der tür die treppe herauf
zum
beispiel
und hinter der tür versteckt eine leiter wieder herunter oder
umgekehrt je nachdem ob man
nach oben oder nach unten ging
das musste man sich gut merken damit nicht der zuschauer
vollkommen

durcheinander kommt
darüber in welchem stockwerk man sich gerade befand
der fahrstuhl war nämlich kaputt in diesem stück einer von uns war
im fahrstuhl steckengeblieben
und der hausmeister versucht den fehler zu finden
und läuft deswegen von stockwerk zu stockwerk daher die treppe

gegen ende des stücks gab es manchmal kleine staus hinten an der
leiter weil die figuren immer mehr
miteinander verknüpft wurden und sich gegenseitig im hochhaus
gesucht
haben oder voreinander
geflohen sind
was ich eigentlich als gedanke ganz schön finde dass die einzige
begegnung zwischen den menschen
im stau stattfindet da wo sie gezwungen sind kurz zu warten und
sich unfreiwilllig sehr nahe stehen in der warteschlange

dieses bühnenbild hat mit eigentlich nur glaube ich drei
verschiedenen elementen
(es gab noch ein sofa) so viele verschiedene orte beschrieben dass ich
es genial finde
ich glaube sogar auch die tür war nach verschiedenen seiten zu
öffnen je
nachdem ob man in die wohnung hineinging oder aus der wohnung
in den
hausflur

ein mit ganz wenigen mitteln hergestelltes geschlossenes system was
mich ein bisschen
an den wunderbaren stefan maier erinnert der mir einmal für
„richard 2"
einen „multifunktionalen"

confused
about which floor you were on at the moment
the elevator was broken in this play and one of us was
stuck in the elevator
and the caretaker has to find the problem
and so he goes from floor to floor thus the stairs

at the end of the play there were little traffic jams sometimes
in the back on the
ladder because the characters were more and more
connected to each other and were looking for each other in the
high-rise
or were running away
from each other
what i actually really like as an idea that the only
encounters between people
take place in traffic jams where they are forced to wait briefly
and
unwillingly stand very close to each other in the line

this set i think used only three
different elements
(there was a sofa) to describe so many places that i find
it ingenious
i even think that the door could be opened in different directions
depending on if you were entering the apartment or going out
of the apartment into the
hall

a self-contained system created with only a few elements that
reminds me a little
of the wonderful stefan maier who once built for me for "richard II"
a multifunctional

throne under a semi-transparent bell that
stood on rails
and could be transported around the rest of the set but
nevertheless
existed as
its own world
.

thronsessel unter einer halbdurchsichtigen glocke gebaut hat der auf
schienen stand
also sogar noch im übrigen bühnenbild transportabel war aber
trotzdem
als eigene
welt existierte
.

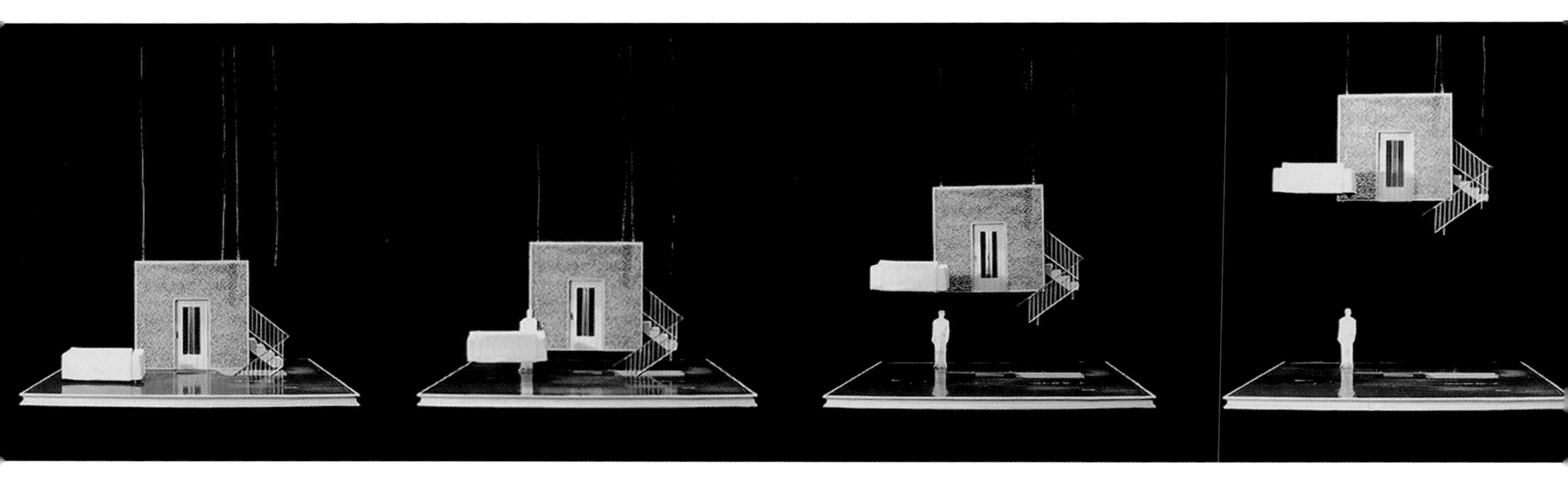

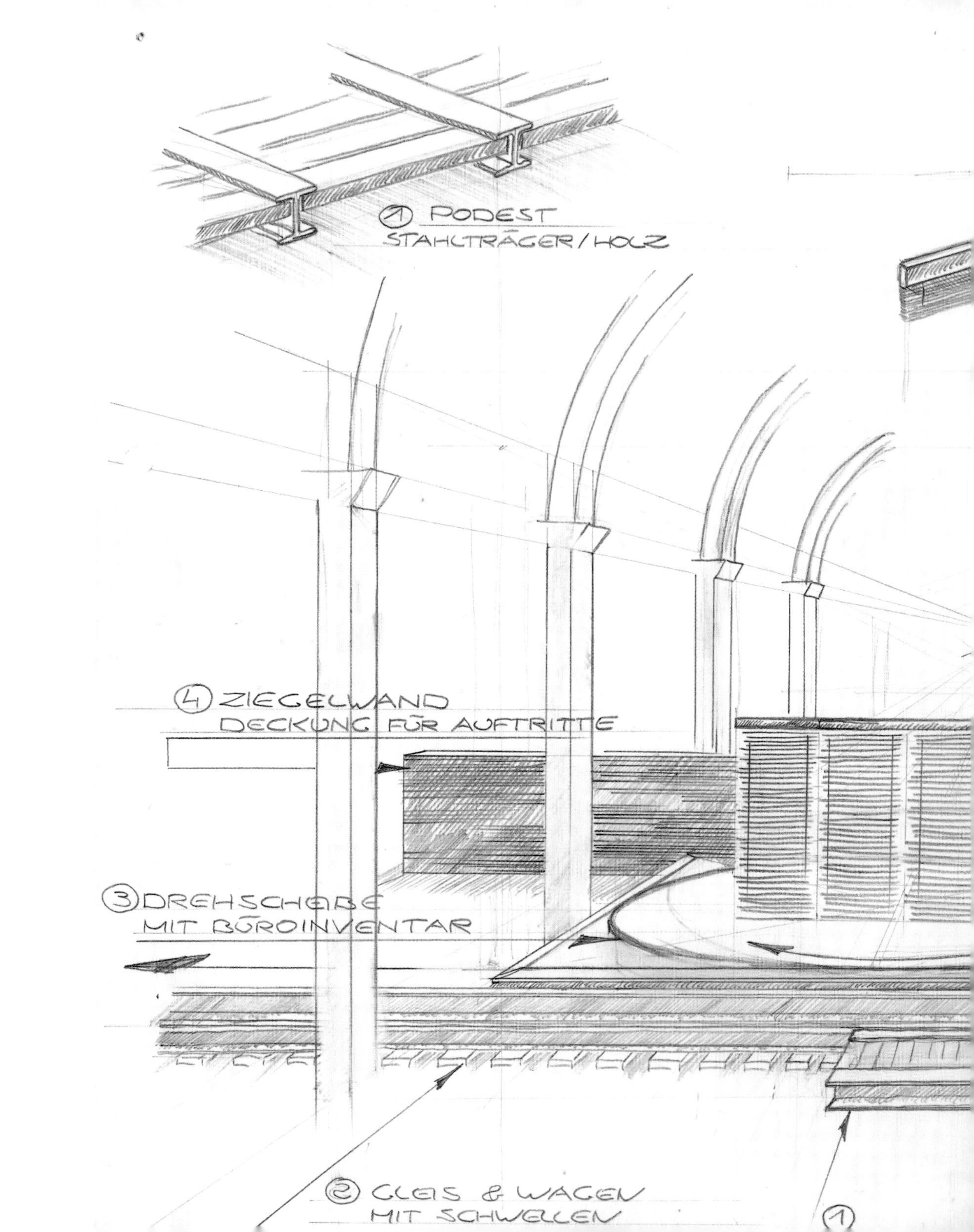

① PODEST
STAHLTRÄGER / HOLZ
④ ZIEGELWAND
DECKUNG FÜR AUFTRITTE
③ DREHSCHEIBE
MIT BÜROINVENTAR
② GLEIS & WAGEN
MIT SCHWELLEN
①

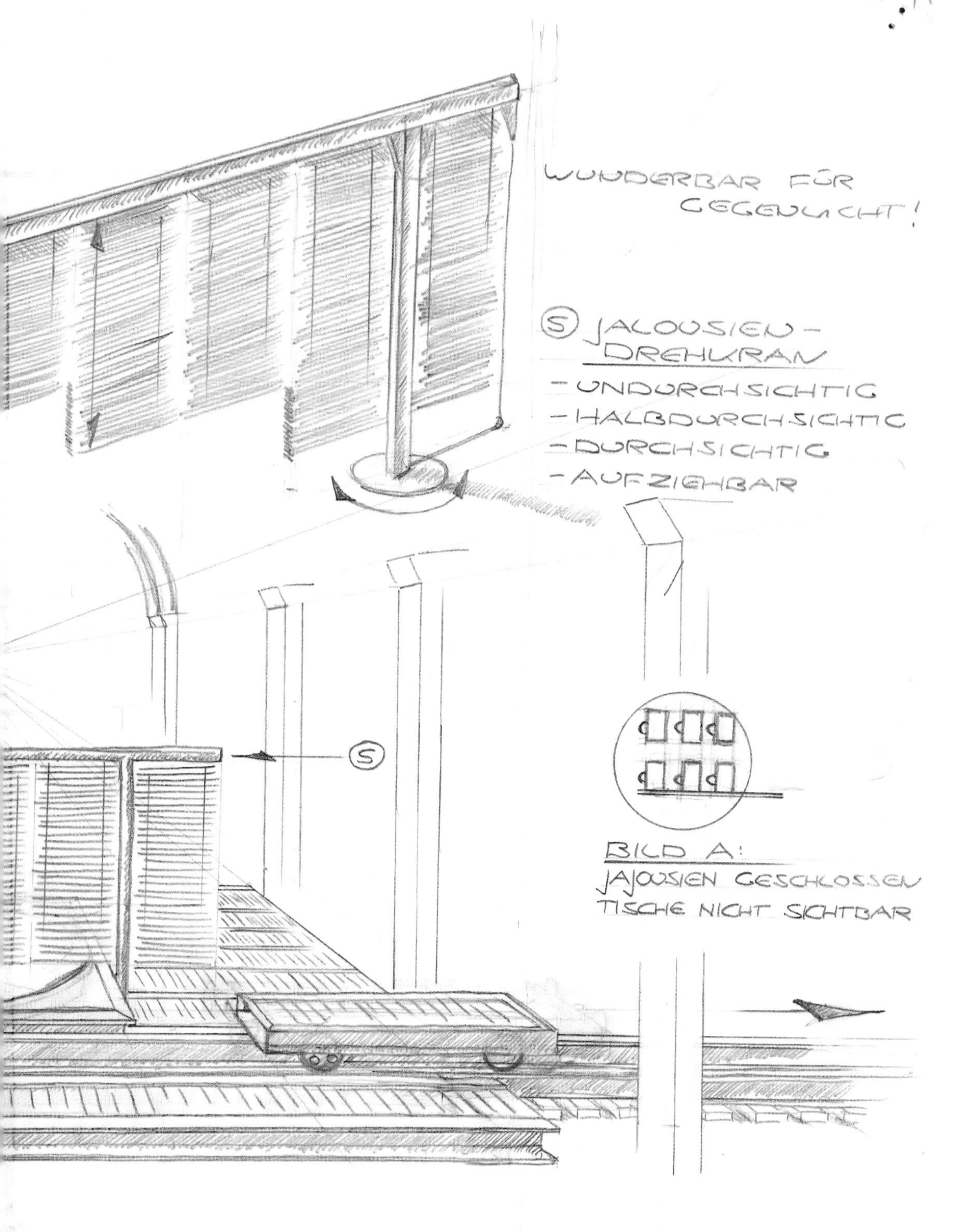

JOHANNA - IDEE 3 / 14/9/01

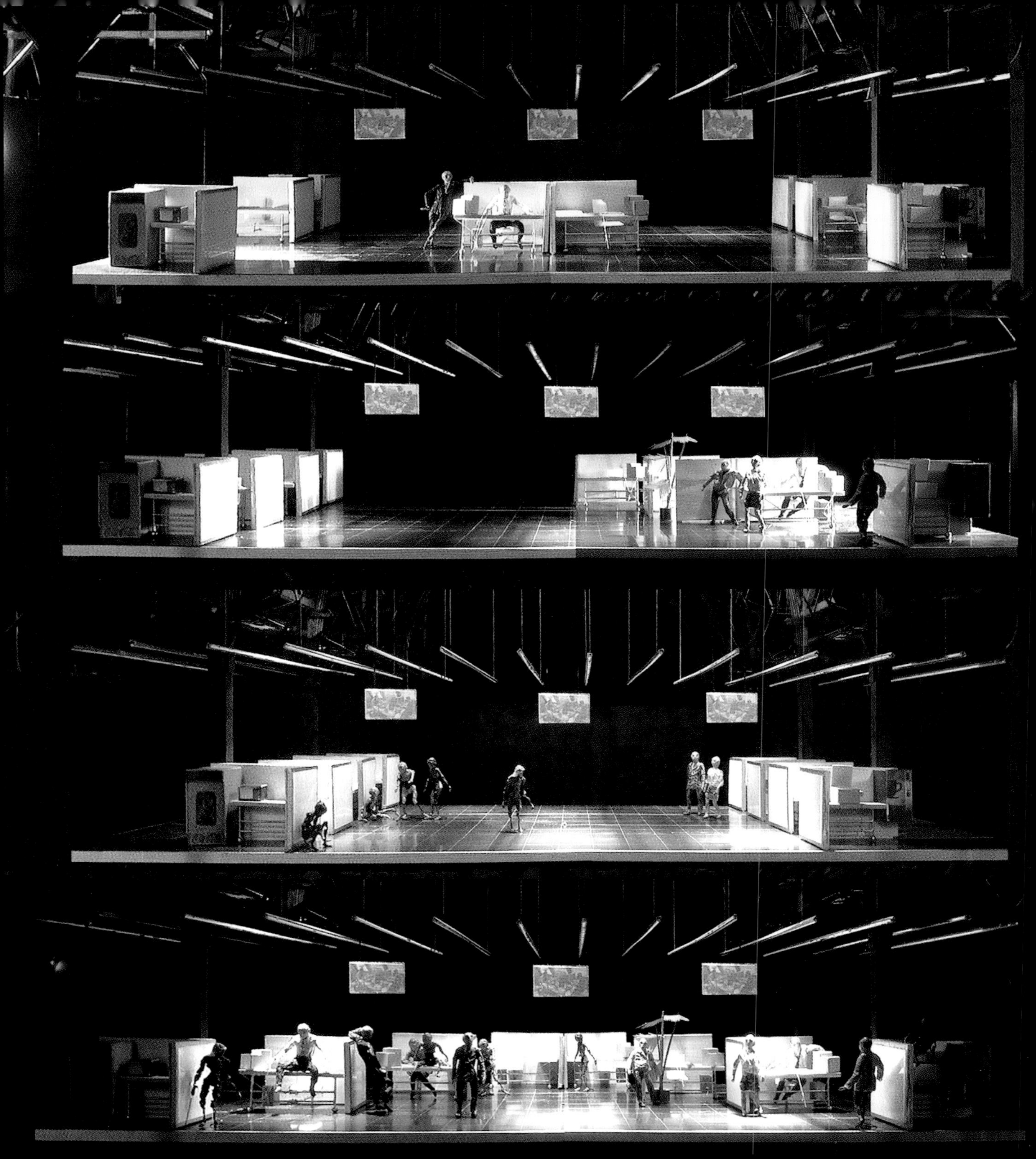

DIE HEILIGE JOHANNA DER SCHLACHTHÖFE | 2001

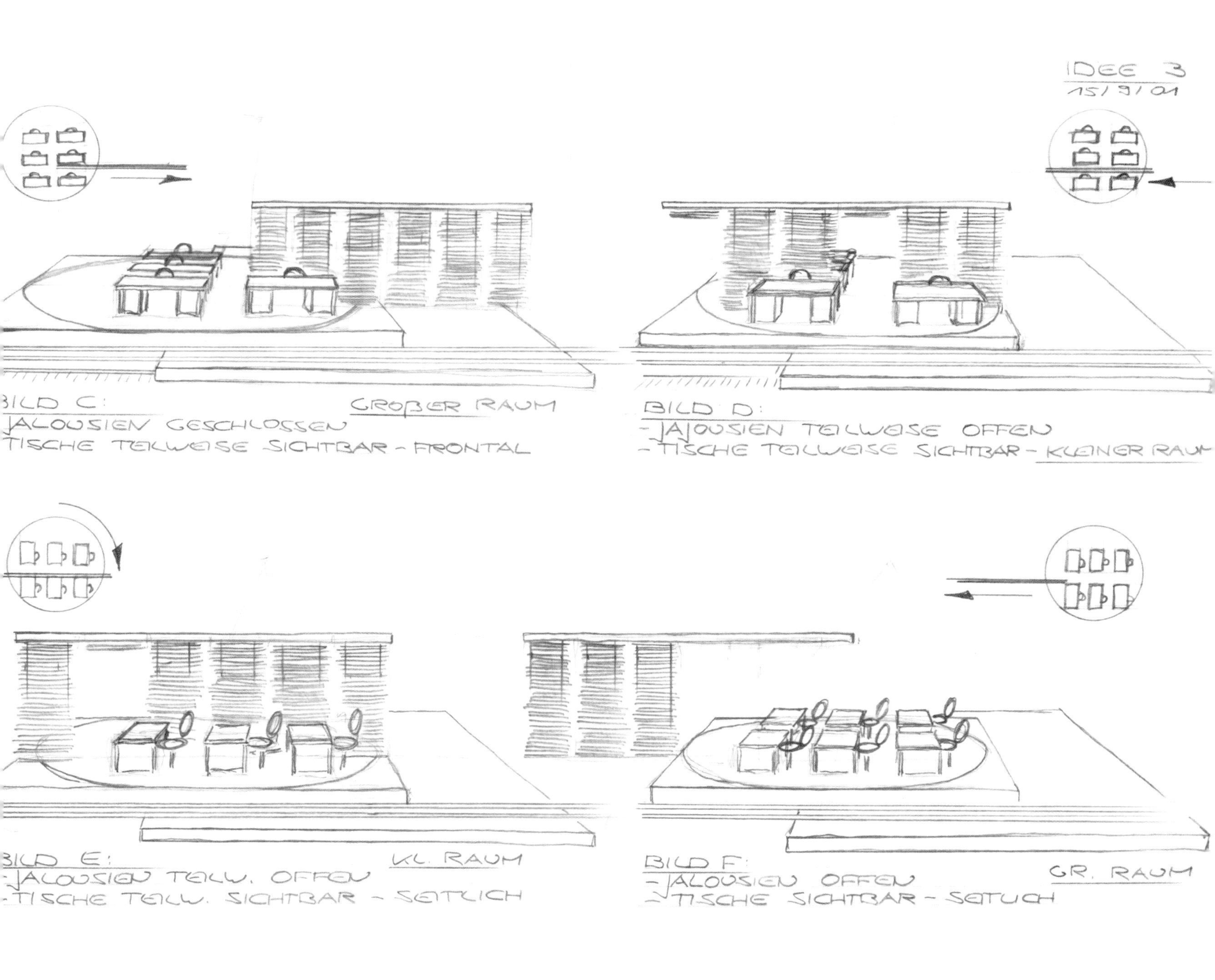
IDEE 3
15/9/01
BILD C:
GROßER RAUM
JALOUSIEN GESCHLOSSEN
TISCHE TEILWEISE SICHTBAR - FRONTAL
BILD D:
- JALOUSIEN TEILWEISE OFFEN
- TISCHE TEILWEISE SICHTBAR - KLEINER RAUM
BILD E:
KL. RAUM
- JALOUSIEN TEILW. OFFEN
- TISCHE TEILW. SICHTBAR - SEITLICH
BILD F:
GR. RAUM
- JALOUSIEN OFFEN
- TISCHE SICHTBAR - SEITLICH

DIE HEILIGE JOHANNA DER SCHLACHTHÖFE | 2001

PEPSI
Lübzer

VAS

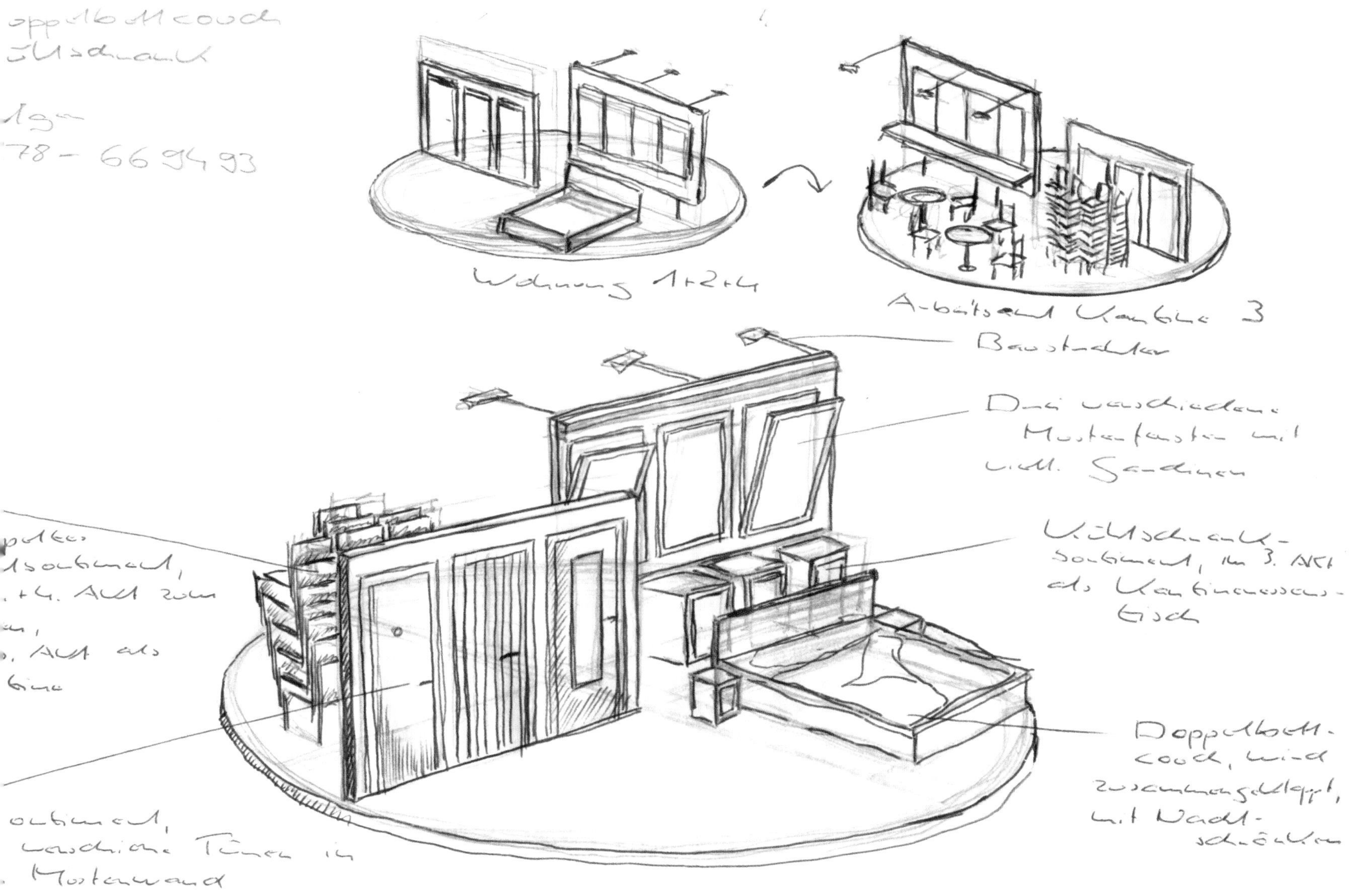

oppelbettcouch
Kühlschrank

lga
78 - 669493

Wohnung 1+2+4

Arbeitsamt Kantine 3

Baustrahler

Drei verschiedene
Musterfenster mit
evtl. Gardinen

Kühlschrank-
sortiment, im 3. Akt
als Kantinenessen-
tisch

Doppelbett-
couch, wird
zusammengeklappt,
mit Nacht-
schränken

pelter
lsortiment,
+4. Akt zum
n,
. Akt als
tine

ortiment,
verschiedene Türen in
. Musterwand

FRANK ECKART

„UNMÖGLICHE FENSTER“

Wenn über die von Jan Pappelbaum gestalteten Bühnenbilder berichtet wird, dann gebrauchen die Autoren zur Beschreibung der gestylten Räume die Worte „karg“, „sortiert“ und „ungemütlich“, aber auch „luxeriös“ und „stilvoll“. Als Entwurfsreferenz zur Inszenierung von Henrik Ibsens Drama „Hedda Gabler“ diente dem Architekten das zwischen 1946 und 1951 ausgeführte avantgardistische Wochenendhaus, das Farnsworth House (Illinois) von Ludwig Mies van de Rohe (1886 – 1969). Die Aufbauten bei „Nora“ erinnern an die Mitte der 20er-Jahre errichteten Versuchsbauten des Bauhauses. Architektur, die heute so modern wirkt und als Synonym des zeitgemäßen Geschmacks gilt, ist eigentlich „alt“ – wie im übertragenen Sinne die Stücke von Henrik Ibsen (1828 – 1906) selbst.

Ludwig Mies van der Rohe begann schon in den 20er-Jahren mit den Formen transparenter Glaskonstruktionen zu experimentieren. Das Thema seiner Architektur: Das Individuum in der industriellen Massengesellschaft bewegt sich zwischen den Räumen der Arbeit, der „Wohn- und Schlafmaschinen“ und der Freizeit. Bei dem Wochenendhaus wechselt es aus dem Moloch der Großstadt in eine gestaltete und heitere Landschaft und findet zu sich selbst. Das war ein großes Versprechen an die Bewohner, die mit allen ihren Sinnen, Licht, Farben und selbst Gerüche durch die ungebrochenen Fensterfronten erleben sollten. Im Zusammenhang mit seinen Entwürfen sprach Ludwig Mies van der Rohe von dem Prinzip „less is more“. Das kann man mit den einfachsten architektonischen Funktionen des Tragens und Stützens assoziieren, die ein Schweben des Baukörpers über und in Glasfronten, das ungehinderte Hineinragen des Landschaftsbildes in den Raum ermöglichen. Gleichzeitig stellt der Ort für den Nutzer eine Art meditativen Ruhepunkt dar, wo er in Abgeschiedenheit und durch Kontemplation zu sich findet. Dieses Konzept wirkt wie eine architektonische Antwort auf die Fragen nach dem Selbst, die Ibsen u. a. mit den Frauenfiguren der Hedda und Nora in seinen Dramen darstellt. Es ist eine Ironie der Geschichte, dass die Auftraggeberin des Farnsworth House sich darin nicht wohlfühlte und der Architekt verzweifelt versuchte, ihr die Drapierung des Innenraums mit einer chinesischen Vasensammlung und das Verstellen mit anderen Dingen zu verbieten.

When reporting on the stage sets designed by Jan Pappelbaum, authors use the words “barren,” “arranged,” and “uncomfortable,” but also “luxurious” and “stylish.” As design reference for the production of Henrik Ibsen’s “Hedda Gabler” the architect used the avant-garde weekend home, the Farnsworth House (Illinois) by Ludwig Mies van de Rohe (1886 – 1969), which was built between 1946 and 1951. The structures in “Nora” recall the experimental buildings that the Bauhaus built in the mid-20s. Architecture that appears so modern and synonymous with contemporary taste is actually “old” – like Henrik Ibsen’s (1828 – 1906) plays themselves.

As early as the 20s Ludwig Mies van der Rohe had begun to experiment with forms of transparent glass constructions. The subject of his architecture: the individual in industrial mass society moves between work spaces, machines for living and sleeping, and free time. In the weekend house it switches from the metropolis to the formed and joyful landscape and finds its way to its self. That was the great promise to the inhabitants, who were to experience light, color, and even smells with all their senses through the unbroken window fronts. In connection with his designs Ludwig Mies van der Rohe spoke of the principle “less is more”. You can associate that with the simplest architectonic functions of carrying and supporting, which make a hovering of the building over and into glass fronts possible, as well as the extension of the landscape into the living space. At the same time this place is a sort of meditative point of rest for the user, a place where he can find himself in isolation and through contemplation. This concept seems to be an architectonic answer to the questions about the self that Ibsen portrays in his dramas, among others in the female characters Hedda and Nora. It is an irony of history that the woman who commissioned the Farnsworth House did not feel comfortable there and that the architect tried to prohibit her draping the interior with a collection of Chinese vases and to prohibit obstruction with other objects.

At the root of this lies a fundamental problem with the use of such transparent construction elements. If you take the position of the person looking at this glass house, then the construction seems to be an oversized display case, in which the occupants are exhibited. At night from inside the light-filled space, they cannot see the details of the surroundings nor the (always potentially present) outside observer – they are blinded. Thus a situation arises which is familiar to the actor on the dark stage and which deeply disconcerted the owners of the Farnsworth House. Also in Ibsen's time the citizen behaves "impossibly" to the open window in his private world. The gigantic green houses such as the botanical gardens in Birmingham (1869) or the Crystal Palace in London (World Fair 1851) were signs of price drops and the constructive possibilities of the material. The windows of houses did actually become larger than in prior decades, but were closed with expensive curtains. The evil metropolis, the sensory overload, the social problems, and accelerated work life were countered by the private sphere, in which the individual could retreat into clearly laid-out conditions and celebrate habits, peaceful processes, and rituals. "The idea that private life could shine out into the public sphere and be thereby made profane was a terrifying thought."[1]

In the theater of that time, on the other hand, this curtain opened. For the effect of Ibsen's plays "Nora or a Doll's House" (1879) and "Hedda Gabler" (1889) one must observe the emotional suspense of the spectator, who sometimes speechlesly listens to the endless arguments, counter-arguments, and even the mocking of the other person in a private space. The theater anticipated a development that would come about en masse after World War I in the architecture of the New Objectivity, "machines for living" and the concepts of "liberated living." Built in closets, the rationalization of cooking, indeed movement in the apartment in general, the planning of the whole city into eight-hour time blocks (work, leisure, living/sleeping), the idea of the worker as a

Dahinter steht ein fundamentales Problem bei der Nutzung solcher transparenten Baukörper. Nimmt man den Standpunkt eines Beobachters auf dieses Glashaus ein, dann wirkt die Konstruktion wie eine überdimensionierte Vitrine, in der die Bewohner ausgestellt sind. In der Nacht können sie aus dem lichtdurchfluteten Raum nicht die Details der Umgebung und den (stets möglichen) Beobachter erkennen – sie sind geblendet. Damit entsteht eine Situation, die der Schauspieler von dem Dunkel der Theaterbühne her kennt, und die damals die Besitzer des Farnsworth Houses tief beunruhigte. Auch in der Zeit von Ibsen verhält sich der Bürger in seiner privaten Welt zum offenen Fenster einfach „unmöglich". Die gigantischen Gewächshäuser wie im Botanischen Garten Birmingham (1869) oder der Londoner Kristallpalast (Weltausstellung 1851) signalisierten sinkende Preise und die konstruktiven Möglichkeiten des Materials. Die Fenster der Wohnhäuser wurden tatsächlich größer als in den Jahrzehnten davor, aber gleichzeitig mit kostspieligen Vorhängen wieder geschlossen. Dem Moloch Großstadt, der Überflutung mit Reizen, sozialen Problemen und beschleunigter Arbeit wurde die private Sphäre gegenübergestellt, in der sich das Individuum in übersichtliche Verhältnisse zurückziehen, Gewohnheiten, ruhige Abläufe und Rituale zelebrieren konnte. „Zum Schreckensgedanken wird die Vorstellung, dass das Privatleben in die Öffentlichkeit hinausstrahlen und dadurch entheiligt werden könnte."[1]

Im damaligen Theater dagegen öffnete sich dieser Vorhang. Für die Wirkung von Ibsens Stücken „Nora oder ein Puppenheim" (1879) und „Hedda Gabler" (1889) muss man die emotionale Spannung bei dem Zuschauer beachten, der gelegentlich sprachlos die endlose Rede, Gegenrede, selbst die Verhöhnung des Gegenübers in einem intimen Raum erlebte. Das Theater antizipierte eine Entwicklung, die sich nach dem Ersten Weltkrieg in den Architekturen der Neuen Sachlichkeit, der „Wohnmaschinen" und Konzepte des „Befreiten Wohnens" massenhaft vollziehen sollte. Einbauschränke, die Rationalisierung des Kochens, überhaupt die Bewegung in der Wohnung, die Planung der ganzen Stadt im 8-Stunden-Takt (Arbeit-Freizeit-Wohnen/Schlafen), die Vorstellung des Arbeitenden als Nomade sind einige Stichworte für

nomad are just some key words for the decade-long conditioning of the individual for industrial society and the introduction of commodification into the private sphere. "It expresses itself in windows filled with light. This turn, which was like an injury to many, was wished for. The role of the whip's lash fell to light, which was to show occupants that the inside was also an outside."[2]

With the historical architectural quotations, Jan Pappelbaum, however, points far past the dissolution of this border. The Farnsworth House on its filigreed columns required a moderate climate in order to be used at all. The idea of conditioning and forming the environment for architecture is already prefigured here – not the other way around. With the Seagram Building (New York, 1954 – 1958), Ludwig Mies van der Rohe would give an important impulse towards the International Style of high-rise architecture common today. The offices of the employees are now found behind facades of glass. The offices are connected by an atrium and halls, and you can look directly into them. These great overbuilt and air-conditioned rooms give architects not only space, but also ideal conditions for new uses – just like a stage under a theater roof. How one shapes and fills such spaces, whether with gardens and waterfalls, temporary architecture, or building specific art became the special task of landscape designers, architects, and artists. It is correct for Jan Pappelbaum to see himself as an architect given these developments.

The set for "Nora" looks perfect, robust, and completely styled from the front, just like with industrial fair constructions. When it begins to rotate, you see the provisional connectors, the cheap decorations taped up, and above all the empty shelves. The same thing that occurs internally to the characters in Ibsen's play – the idling in the daily routine of professional and married life, the fragile foundations of their monetary wealth and inner values is reflected in the architecture and the interior of the completely modern stylish living quarters, which at the same time can be set up and taken down anytime.

Georg Muche: Siedlungshaus aus vorgefertigten Einzelteilen unter Verwendung eines Stahlskeletts, Zeichnung zur Anfertigung eines Modells, 1924. (aus Hüter, Karl-Heinz: Das Bauhaus in Weimar, Akademie-Verlag: Berlin 1976, 167)

die jahrzehntelange Konditionierung des Einzelnen für die Industriegesellschaft und den Einzug von Warenverhältnissen in die Privatsphäre. „Sie drückt sich im lichterfüllten Fenster aus. Diese Wendung, die für viele einer Verletzung gleich kam, war gewollt. Dabei fiel dem Licht die Rolle eines Peitschenschlages zu, der den Bewohner begreifen lehren sollte, dass das Drinnen ein Draußen war.“[2]

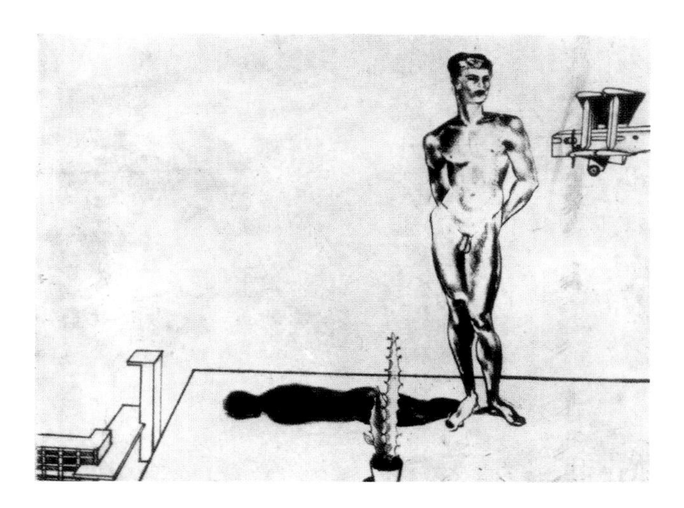

Farkas Molnár: Mensch, Pflanze, Technik, um 1925, Privatbesitz, Weimar. (aus Hüter, Karl-Heinz: Das Bauhaus in Weimar, Akademie-Verlag: Berlin 1976, 125)

Mit den historischen Architekturzitaten weist Jan Pappelbaum jedoch weit über die Auflösung dieser Grenze hinaus. Das auf filigranen Stützen gelagerte Farnsworth House brauchte moderate klimatische Verhältnisse, um überhaupt benutzt werden zu können. Hier ist schon der Gedanke angelegt, die Umwelt für die Architektur zu konditionieren und zu gestalten – nicht umgekehrt. Ludwig Mies van der Rohe wird mit dem Seagram Building (New York, 1954 – 1958) einen wichtigen Impuls für den „internationalen Stil“ der heute gängigen Hochhausarchitektur liefern. Hinter Glasfassaden befinden sich nun die Büros der Angestellten, die durch Atrium und Gänge verbunden und einsehbar sind. Diese gewaltigen überbauten und klimatisierten Räume bieten, wie bei einer Bühne unter dem Theaterdach, für Architekturen nicht nur Platz, sondern ideale Bedingungen für neuartige Nutzungen. Wie man solche Volumen gestaltet und füllt, ob durch Gärten mit Wasserfall, temporäre Architekturen oder baubezogene Kunst wurde zu einer Spezialaufgabe von Landschaftsgestaltern, Architekten und Künstlern. Dass sich Jan Pappelbaum selbst als Architekt versteht, ist mit Blick auf diese Entwicklungen folgerichtig.

Das Bühnenbild zu „Nora“ erscheint wie bei Messeaufbauten in der Vorderansicht perfekt, robust und durchgestylt. Beginnt sich die Konstruktion zu drehen, sieht man die provisorischen Steckverbindungen, verklebten billigen Dekormaterialien und vor allem leere Regale. Was den Figuren in Ibsens Stück innerlich geschieht, der Leerlauf in der alltäglichen Routine von Erwerbs- und Eheleben, die fragilen Grundlagen ihres Reichtums an Geld und innerlichen Werten spiegeln die Architektur und das Interieur einer vollkommen modern gestylten Wohnarchitektur wider, die gleichzeitig jederzeit wieder auf- und abgebaut werden kann.

Versuchten sich damals die Bewohner des Farnsworth Houses mit Vasen zu verstellen und konnten sie nicht auf Vorhänge verzichten, haben wir das Verhalten den vielen Vitrinen in dem heutigen Alltag angepasst: Denn was ist zu tun, wenn man ständig unverstellt, ausgestellt ist? Man kontrolliert, wie man von den anderen oder potentiellen Beobachtern (wie Überwachungskameras) gesehen werden will. Mit anderen Worten: Man ist „Betrachter und Betrachtetes" zugleich – man inszeniert sich.

„Insofern bedarf es auch nicht mehr der direkten räumlichen Präsenz der Vitrine, des Glases oder der Spiegel. Die Vitrine ist in der Wahrnehmung inhärent. Es gibt nicht mehr die Wahl zwischen manipulierter Wahrnehmung und der Dinge ‚wie sie sind'. Man wählt zwischen verschiedenen Formen der Manipulation und Inszenierung. Handlungen werden als performative Akte begriffen und so als konstruiert und gestaltbar akzentuiert. Performance erscheint als eine Eigenschaft jeder Situation, auch der alltäglichsten."[3]

Der Bühnenarchitekt Jan Pappelbaum kann bei „Nora" in der Berliner Schaubühne die transparente Architektur einer modernen Stadtvilla oder heutiger Dachaufbauten zitieren und gleichzeitig auf das Grundelement ihrer Konstruktion, die Glasfront, verzichteten! Der Regisseur Thomas Ostermeier dagegen nutzt zur Charakterisierung der Handlung Momente künstlerischer Performance, Zitate gängiger Comic- und Pop-Figuren, wodurch das Stück von dem Gründerzeitinterieur in eine Vitrine verschoben und modernisiert wird. Kann man bei der Uraufführung des Dramas im Jahre 1879 eher von einer existentiellen Situation ausgehen, bei der die Frauenfigur ein unverstelltes Selbst, wahrhaftes Leben jenseits der Konventionen aus Ehe und Kindererziehung, Geschlechterrolle zumindest ahnt und wünscht, beherrscht sie bei Ostermeier Rollen, die in ihren Extremen kaum zu dieser Sehnsucht passen können. Die Wandlungsfähigkeit und die auf Erwartungen des Gegenübers hin konstruierte wie manipulierende Kraft der Nora ist in Ostermeiers Inszenierung beeindruckend: als Objekt der Lust, als Comicfigur der Lara Croft, als Abbild gängiger Lifestylemagazine, als Fetisch, als ordinäres Tanzgirl, das vor aller

If the inhabitants of the Farnsworth House back then tried to hide themselves with vases and were not able to do without curtains, then we have adjusted our behavior to fit the many display cases of daily life: for what can you do, when you are constantly on show undisguised. You control how you want to be seen by the others or potential observers (like surveillance cameras). In other words: you are observer and observed at the same time – you stage yourself.

"In this respect the direct spatial presence of the show case, of glass, or of mirrors is not necessary. The show case is inherent in perception. There is no longer the choice between manipulated perception and things 'as they are.' You choose between different forms of manipulation and staging. Actions are taken as performative acts and thus accented as constructed and able to be shaped. Performance appears as a quality of every situation, even the most quotidian".[3]

The stage architect Jan Pappelbaum can quote the transparent architecture of a modern city house or today's extended roofs in the production of "Nora" at the Berliner Schaubühne and at the same time do without the basic element of its construction, the glass facade. The director Thomas Ostermeier in contrast uses moments of artistic performance, quotations of current comic and pop figures to characterize the action, whereby the play is pushed from the Wilhelminian interior into a show case and modernized. If you can assume an existential situation for the premiere of the play in 1879, a situation in which the female character at least suspects and desires an undisguised self, true life beyond conventions of marriage and childrearing, then in Ostermeier's reading she copes with roles that in their extremes can hardly fit this longing. Impressive in Ostermeier's production are Nora's mutability and power, which are both constructed based on the expectations of her partner and manipulative: as object of desire, as the comic figure Lara Croft, as image of current lifestyle magazines, as fetish, as a dancer who contorts herself on the stages of the house and screams bloody murder. But not only Nora has such scenes,that are performed with intense satisfaction. The situation of the figures behind the glass is calculated even in its outbursts. Intoxication, drugs, dancing do not break the internal control, and this causes problems for the director. For occasionally the recourse to these profane and at the same time very intelligent self-performances in the theater production seems infantile and thus implausible, when, for example, the actors vomit at all (and then too violently) on the precious materials and furniture of the stage set.

The descriptions of Jan Pappelbaum's stage architecture mentioned at the beginning of this text make sense paradoxically: the architect demonstrates perception in the show case – barren, ordered, rich and, above all, full of style. At the beginning of the production of "Nora" at the Schaubühne there is no longer a curtain to open as there was in Ibsen's time. When the audience enters, they can see into and contemplate the stage architecture. Their gaze glides over fashionable interior decorating and design, an aquarium with big fish. The observer joins in and in his perception will not now or later mis – the glass facades, the "impossible windows".

Augen sich auf den Bühnen des Hauses verdreht und blutend kreischt. Doch nicht allein Nora hat solche Szenen, die mit Lust ausgeführt werden. Der Zustand der Figuren hinter Glasfronten ist selbst in den Ausbrüchen immer noch kalkuliert. Rausch, Drogen, Tänze brechen nicht die verinnerlichte Kontrolle auf, womit auch Regieprobleme entstehen. Denn gelegentlich wirkt der Rückgriff auf diese alltäglichen und dabei sehr intelligenten Selbst-Inszenierungen in der Theaterinszenierung infantil und damit unglaubhaft, wenn zum Beispiel auf edles Material und Mobiliar der Bühne überhaupt (und dann zu heftig) erbrochen wird.

Die eingangs genannten Beschreibungen der Bühnenarchitektur von Jan Pappelbaum machen in ihrer Widersprüchlichkeit Sinn: Der Architekt demonstriert die Wahrnehmung in der Vitrine – karg, sortiert, reich und vor allem stil-voll. Am Beginn der Vorstellung von „Nora" in der Schaubühne öffnet sich kein Vorhang mehr wie zu Ibsens Zeiten. Betritt der Zuschauer den Saal, kann er die Bühnenarchitektur einsehen und betrachten. Sein Blick gleitet über angesagtes Interieur und Design, ein Aquarium mit großen Fischen. Der Beobachter stimmt sich ein und in seiner Wahrnehmung wird er sie jetzt und später nicht vermissen – die Glasfronten, „unmögliche Fenster".

1 Kohlmaier, Georg; Sartory, Barna von: Das Glashaus. Ein Bautyp des 19. Jahrhunderts, Prestel: München und New York 1988, 40.

2 Kohlmaier, Georg; Sartory, Barna von: Das Glashaus ... , a.a.O., 41.

3 Nicolai, Olaf: Show Case. Verlag für moderne Kunst: Nürnberg 1999, 26.

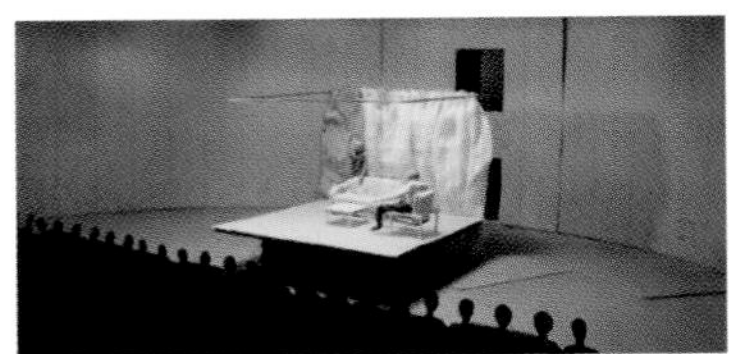

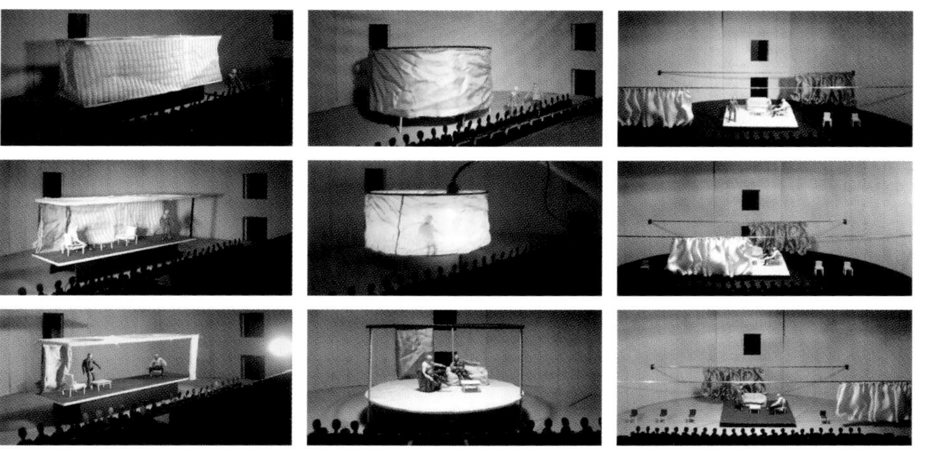

DOCH EHER NÄHER AN KROETZ

Jan Pappelbaum im Gespräch mit Thomas Ostermeier

Thomas Ostermeier: Am meisten interessieren mich solche Fragen, die ich dir noch nie gestellt habe: Du kommst aus einer Schauspielerfamilie, deine Eltern haben Ensembletheater gemacht. Wie war die Theaterwelt in der DDR? War das, was das DDR-Theater konnte, im westdeutschen Theater gar nicht möglich? Hatte das Theater eine andere Funktion, einen anderen Stellenwert und gibt es dafür soziale Gründe?

Jan Pappelbaum: Im Osten blieb man, wenn man ein Engagement hatte, lange an einem Theater. Im Gegensatz dazu richten wir uns auf ein Leben ein, bei dem man heute hier und morgen dort sein wird, und ist eigentlich in einer sehr glücklichen Situation, wenn man plötzlich ein paar zusammenhängende Jahre an einem Ort bleiben kann. Insofern betrachte ich es als eine wunderbare Arbeitssituation, dass wir hier fest an einem Haus arbeiten können, und letztendlich auch als etwas sehr Ungewöhnliches. In der DDR war das sehr viel selbstverständlicher. Ein Theater war geprägt durch feste Regisseure und Bühnenbildner. Und auch die Schauspieler wechselten das Ensemble nur, wenn etwas Außergewöhnliches passierte. Es sei denn, man bekam ein Angebot von einem Berliner Theater.

Damals war auch das Klima ganz anders. In der Sommerpause fuhr ungefähr die Hälfte der am Theater Beschäftigten zusammen in den Urlaub in ein Betriebsferienheim auf der Insel Rügen. Ich erlebte das als sehr harmonische Gemeinschaft. Man grillte miteinander, spielte Volleyball und lag gemeinsam am FKK-Strand – etwas, was in unserem Arbeitszusammenhang schwer vorstellbar ist. Deshalb ist bei mir das Theater mit einer relativ heilen sozialen Kultur verbunden.

Die soziale, politische und gesellschaftliche Funktion des Theaters in der DDR wird ja oft verklärt und als Beispiel dafür herangeführt, warum Theater früher funktionierte und jetzt nicht mehr. Gab es da für dich Erlebnisse, die das beglaubigen könnten? War Theater für dich ein Ort, wo es eine quasi Freiheit gab?

Es war auf jeden Fall gemeinschaftsstiftend, sozusagen als Opposition. Wobei ich ja nie ein oppositioneller Bürger war. Man sah, dass es Leute

Thomas Ostermeier: What interests me most are the questions that I have never asked you. You come from a family of actors. Your parents were actors in theaters with ensembles. What was the theater world like in the GDR? Could GDR theater do things that were impossible in West German theater? Did theater have a different function, a different standing? And were there social reasons for that?

Jan Pappelbaum: In East Germany, if you had an engagement you stayed at one theater for a long time. In contrast to that, we prepare ourselves for a life of living here one day and someplace else the next. You feel lucky if you find yourself in the same place for a few yeras. In this respect I see it as a wonderful working situation that we can work consistently at one theater and, in the end, also as something unusual. In the GDR that was much more a given. A theater was shaped by directors and set designers who had long-term engagements. Actors, too, only switched, of course, theaters when something unusual happened. Unless you got an offer from a theater in Berlin.

The atmosphere was completely different back then. In the summer break, almost half the theater employees went on vacation together to a company vacation house on the island of Rügen. I experienced that as a very harmonious community. You barbecued together, played volleyball, and went to the nude beach – that is something that is hard to imagine in the context we work in. So theater is connected to a relatively intact social culture for me.

The social, political, and societal function of the theater in the GDR is often romanticized and given as an example of why theater worked earlier and no longer does. Were there events that confirm that for you? Was theater a place where you experienced a kind of freedom?

It was definitely community building, as opposition, so to speak. But I was never an oppositional citizen. You saw that there were people who had the courage to say something. So you left the theater a little more courageous than you were before.

And that prompted you to think about politics? Or did the impulses come from someplace else?

The Protestant student union was the only oppositional group in GDR. The church had an alternative function like the theater. But television from West Germany was also extremely influential in our lives. We lived in a closed, ultimately ideologically shaped society, but every evening we watched television from another world, from which we could also learn a lot about our own country. I think that was the biggest moment of enlightenment.

Television from the West contained more revolutionary moments than the theater?

That depends strongly on the social class. For me, the theater, or, in the end, what was discussed in the Protestant student union, played a more important role than the promises of salvation from Western television. We were smart enough to know that it was not less ideological than what we ourselves heard all day. But still, the television from the West instilled a desire for freedom, travel, looking around in the world in us. I would even say if the GDR had been willing to let its citizens travel, it might have avoided its demise. We would have gotten to know many shortcomings attributed to the GDR in the rest of the world, too.

Heiner Müller once said in an interview that many intellectuals from the East were very happy when the Wall was built. They thought: now we can build up socialism with our elites, because those who are supposed to establish are no longer running away. So much for the thesis that the freedom to travel would have preserved the GDR …

gab, die den Mut hatten, etwas zu sagen. So ist man, glaube ich, ein Stück mutiger aus dem Theater rausgegangen.

Und das hat dich veranlasst, über Politik nachzudenken oder kamen die Impulse woanders her?

Die einzige oppositionelle Gruppe, die es zu DDR-Zeiten gab, war die evangelische Studentengemeinde. Die Kirche hatte in ähnlicher Weise eine Ersatzfunktion wie das Theater. Aber auch das Westfernsehen hat das Leben extrem geprägt. Man lebte in einer abgeschlossenen, letztendlich ideologisch geprägten Gesellschaft und sah doch jeden Abend das Fernsehen einer anderen Welt, aus dem man auch sehr viel über das eigene Land erfuhr. Ich glaube, das war der größte aufklärerische Moment.

Das Westfernsehen hatte also mehr umstürzlerische Momente als das Theater?

Das hängt stark von der gesellschaftlichen Schicht ab. Für mich spielte das Theater oder letztendlich auch das, was in der evangelischen Studentengemeinde besprochen wurde, eine größere Rolle als die Heilsversprechungen des Westfernsehens. Man war ja klug genug zu wissen, dass das nicht weniger ideologisch geprägt war als das, was man selbst den ganzen Tag lang hörte. Und trotzdem verursachte das Westfernsehen schließlich einen Drang nach Freiheit, nach Reisen, nach Sich-in-der-Welt-umsehen. Ich würde ja sogar behaupten, hätte die DDR die Größe gehabt, seine Bürger reisen zu lassen, wäre sie dem Untergang vielleicht entgangen. Man hätte viele Defizite, die man dem Osten zuschrieb, auch in der restlichen Welt kennen gelernt.

Heiner Müller hat in einem Gespräch gesagt, dass viele Ostintellektuelle sehr froh waren, als die Mauer gebaut wurde. Sie dachten: Jetzt können wir mit unseren Eliten den Sozialismus aufbauen, denn nun laufen uns die, die ihn aufbauen sollen, nicht mehr weg. Das also zur These, die Reisefreiheit hätte die DDR erhalten …

Was mich sehr interessieren würde: Hast du irgendwelche Arten von Repressionen erlebt; Offiziere, die auf dich zugekommen sind und fragten: Wollen sie nicht bei uns mitmachen?

Ich hatte diese entscheidende Begegnung während meiner Armeezeit. Im letzten Dienstjahr war es üblich, dass die Abgänger ein Maßband hatten, davon jeden Tag ein Stück abschnitten und es dann den Jüngeren vorzeigten. Ich besaß stattdessen eine 1,50 Meter lange Kerze, die ich jeden Tag vor der Bettruhe um einen Zentimeter abbrannte. Dies wurde schnell zu einer Sammelstelle – man saß zusammen und redete. Es dauerte nicht lange und ich wurde von einem Oberst, der sich offen als Oberst der Staatssicherheit vorstellte und sehr kumpelhaft mit mir redete, angesprochen. Er wusste alles von unseren abendlichen Zusammenkünften und er fand es sehr schön, dass die Auseinandersetzung mit den Zuständen in solch einem abgeklärten Rahmen stattfand. Daraus resultiere für ihn aber auch, dass ich jemand sei, dem man viel anvertraue. Deshalb bat er mich, wenn einer käme und von Fahnenflucht sprach, ihm das zu melden ...

Man musste also nichts unterschreiben oder so ...

Vielleicht wäre das noch gekommen. Aber erst einmal ging es darum, ins Gespräch zu kommen. Ich antwortete ihm, ich würde demjenigen davon abraten, weil ich das auch selber nicht für vernünftig halten würde. Ich würde all meine Autorität in die Waagschale werfen, ihn davon zu überzeugen, dass das falsch ist – aber ich denke, ich würde es ihm nicht weitersagen. Wenn derjenige bei seiner Meinung bleibt, sollte er es tun.

Das war ein Schlag ins Gesicht.

Nein. Da sagte der Oberst der Staatssicherheit, das verstehe er und vielleicht könne ich ja noch einmal darüber nachdenken. Wir machten einen neuen Termin aus, aber zu diesem bin ich einfach nicht gegangen. Seitdem habe ich davon nie wieder etwas gehört.

It would interest me to know if you yourself ever experienced some kind of repression: officers who came to you and said, don't you want to join us?

I had this decisive encounter during my time in the army. In the last year of service, it was custom for those leaving to have a measuring tape and to cut off a piece of it every day and show the younger ones. Instead I had a candle that was 150 centimeters tall. Every day before lights out I burned off one centimeter. This quickly became a gathering place – we sat together and talked. It didn't take long for a colonel, who introduced himself openly as a colonel from the Ministry for State Security and spoke in a chummy way, to come and talk with me. He knew everything about our evening get-togethers and he thought it was good that a discussion about the conditions took place in such a laidback setting. He said he took that to mean that I was someone people confided in lot. So he asked me to report to him if someone came and talked about deserting ...

So you did not have to sign anything ...

That might have come later. The first thing was to enter into a dialogue. I told him I would advise the person against it, because I did not think it was the sensible thing to do myself. I said I would use all my authority to persuade him that it was wrong – but that I thought I would not pass the information on to him. If somebody stuck to that position, then he should do it.

That was a blow to the face.

No. The colonel from the Ministry for State Security said he understood and said perhaps I could think about it. We made a new appointment, but I just did not go. I never heard anything about it again.

And it was possible, simply not to go?

Yes, it seems so.

Wolfgang Engler maintains that every person who was approached by the State Security could say "no", without there necessarily being any backlash.

My experience would confirm that. But I only know my own.

Many people say: I had to do it, because it was threatened that they would make it difficult for me to chose a profession, I wouldn't be allowed to get a high-school diploma, accepted to the university, and so on ...

No, no pressure was put on me.

With this sentence, Engler says that the absolution from guilt of many unofficial members of the State Security, who want to exculpate themselves by pleading that reprisals had been threatened, is just an excuse. Many people were more willing than they had to be.

Half a year later, my military service ended. Usually you signed a reservist declaration when you left. I did not do that, so I never got past the rank of private. Even that did not have any further consequences. It was less a conscious rebellion, more like the feeling of never ever wanting to enter such a building again, never wanting to have to deal with such people again after a year and a half in the service. The human experience in the army is actually the worst part, not what you go through physically.

What exactly was bad about it?

Like in all structures of this kind, the one hundred percent hierarchical structure of the army means that only commands

Und das war möglich, einfach nicht hinzugehen?

Ja, scheinbar.

Wolfgang Engler behauptet ja, jeder, der von der Stasi angesprochen wurde, hatte die Möglichkeit „Nein" zu sagen, ohne dass dies zwingend Repressalien nach sich zog.

Meine Erfahrung würde das bestätigen. Aber ich kenne nur meine.

Viele sagen ja: Ich musste das machen, weil mir mit Schwierigkeiten bei der Berufswahl gedroht wurde, kein Abitur, kein Studienplatz und so weiter ...

Nein, auf mich ist kein Druck ausgeübt worden.

Engler behauptet mit diesem Satz ja, dass die Schuldfreisprechungen vieler inoffizieller Stasimitglieder, die sich durch ihnen angedrohte Repressalien entlasten wollten, vorgeschützt sind. Dass viele Leute bereiter waren, als es sein musste.

Ein halbes Jahr später war mein Armeedienst zu Ende, und üblicherweise unterschrieb man beim Abgang eine Reservistenerklärung. Dies habe ich nie getan und bin daher auch nie über den Dienstgrad eines Gefreiten hinausgekommen. Aber selbst das hatte keine weiterreichenden Konsequenzen. Es war auch weniger bewusstes Aufständlertum, sondern vielmehr das Gefühl, nach anderthalb Jahren bei der Fahne will man nie wieder in ein solches Gebäude, nie wieder mit solchen Menschen zu tun haben. Die menschliche Erfahrung bei der Armee ist eigentlich das Schlimmste, und nicht das, was man körperlich leisten muss.

Was genau war das Schlimme daran?

Die hundertprozentig hierarchisch geprägte Struktur der Armee führt, wie jede dieser Strukturen dazu, dass allein der Befehl das Tun bestimmt, es keinerlei Art der Auseinandersetzung oder Diskussion gibt. In einer Armee ist das aber an Personen gebunden, denen man das Recht nicht zugesteht, diese Macht zu haben, diese Anweisung auszusprechen. Einfach, weil sie menschlich wie geistig finster waren und Freude daran empfanden, andere zu demütigen.

Ich würde dich als einen politischen Theatermann bezeichnen, wenngleich wir mit unserer Spielplanpolitik und auch mit unseren Aufführungen in der Meinung der Öffentlichkeit nicht zwingend diesen Anspruch erheben können. Meinst du, das hat etwas mit deinen Erfahrungen zu tun – der Stellenwert von Theater, den du in deiner Kindheit erlebt hast, die Zeit im Nationalkader der Volleyballmannschaft und dann die Militärzeit? Oder ist das eher eine individuelle Geschichte – würdest du, auch wenn du in Hessen aufgewachsen wärst, politisch sein?

Ich würde mich ja gar nicht als politischen Theatermann bezeichnen ... Also, ich weiß jetzt nicht, was du da meinst ...

Ich meine, dass du stark die sozialen Themen und materialistischen Perspektiven der Stücke – fast schon wie ein Dramaturg – hervorhebst.

Vielleicht ist das gar nicht so sehr eine Tugend, sondern eher die Unfähigkeit, Stücke überhaupt anders lesen zu können. Und das liegt sicher an meiner Sozialisierung. Ich bin damit aufgewachsen, die Welt materialistisch zu sehen. Und ich finde, das ist immer noch die interessanteste Variante und für das Theater die produktivste. Was die individuell psychischen oder psychoanalytischen Leseweisen von Stücken angeht, da fehlt mir regelrecht der Zugang.

Zudem treibt mich hauptsächlich die Lust an dem, was ich mache – eine ganz fachliche Lust, eine Lust zu gestalten. Und diese ist drängender als der gesellschaftliche Aspekt. Und der zweite Punkt, der mich am Theater hält, ist: Ich möchte, dass wir ehrlich zu uns selbst sind. Politisches Theater gelangt ja schnell an einen Punkt, an dem es „sendet“, aufklärt, Probleme in der Gesellschaft aufzeigt, sich aber selbst dabei ausnimmt.

determine what is done. There is no argument or discussion. But in the army, this power was given to people whose authority I didn't accept. Simply because they were humanly and intellectually dark and took pleasure in demeaning others.

I would call you a political man of the theater, even if – our repertoire strategy and our productions – this claim may not convince the public. Do you think that has something to do with your experiences – the significance of theater that you experienced in childhood, the time on the national volleyball team and then the time in the military? Or is that more an individual story – would you be political if you had grown up in Hessen?

I wouldn't call myself a political man of the theater ... I do not know what you mean by that ...

I mean that you strongly emphasize the social themes and materialistic perspectives of the plays – almost like a dramaturge.

Maybe that is not so much a virtue, as an inability to read the plays any other way. And that is certainly due to my socialization. I grew up seeing the world materialistically. And I think that that is still the most interesting perspective and the most productive for the theater. As for the individual psychic or psychoanalytic readings of plays, I don't have a connection.

And what mainly drives me is the desire to do what I do – a really technical desire, a desire to create. And this is more urgent than the societal aspect. And the second thing that keeps me in the theater is that I want us to be honest with ourselves. Political theater quickly reaches the point where it "broadcasts", enlightens, calls attention to problems in society, but excludes itself from that.

When you talk about also how your image of humanity was crushed in the army, you can see this openness as a form of honesty. There you are really close to yourself and your own experiences. On the other hand we are putting lofts from Berlin-Mitte on the stage here, something that has relatively little to do with us personally.

The bourgeois material we are working on at the moment is interesting to me because it is somehow my world. Of course, I do not live in a loft in Mitte, but I can share the situation, the worries and fears. I now have a family and suddenly the economic aspects of the bourgeois play a role for me. If my girlfriend did not have a job, I would have a problem.

This topic, whether women should stay at home or not, is discussed a lot right now. And there is a clear demarcation between the classes. It actually only plays a role when one of the partners, and that is usually the man can provide for the family at its perceived standard. Couples, in which both partners have to work do not belong to the bourgeois class. So, as far as that goes, I am sorry to say that you do not belong to the bourgeoisie! And so you should be working on Kroetz and not Ibsen.

As a set designer, as you yourself describe it, someone who often does prep work, do you sometimes have the desire to be the designing artist? Do you ever feel inferior? Or jealous? Do you feel like you always have to find consensus and can never say, "my way or no at all".

No, absolutely not.

An architect is like that. Good, he has the principal and the city planners, and ...

Every architect would envy me for the freedom that I have as a stage designer with regards to my working conditions and the

Wenn du davon sprichst, wie dein Menschenbild bei der Armee gänzlich platt gemacht wurde, kann man diese Offenheit ja auch als eine Form von Ehrlichkeit sehen. Da ist man ganz nah an sich selber und seinen Erfahrungen dran. Dagegen stellen wir hier zum Beispiel das Mitte-Loft auf die Bühne, welches doch mit uns persönlich relativ wenig zu tun hat.

Mich interessieren diese bürgerlichen Stoffe, die wir im Moment machen, weil das irgendwie schon meine Welt ist. Natürlich wohne ich nicht im Mitte-Loft, aber die Situation, die Sorgen und Ängste kann ich teilen. Auch weil ich jetzt eine Familie habe und für mich plötzlich diese ökonomischen Punkte des Bürgerlichen eine Rolle spielen. Wenn meine Freundin nicht arbeiten würde, hätte ich da ein Problem.

Dieses Thema, ob Frauen zu Hause bleiben sollen oder nicht, wird ja gerade viel diskutiert. Und dabei gibt es eine klare Distinktionslinie zwischen den Klassen. Denn eigentlich spielt es erst eine Rolle, wenn einer der beiden Partner, und das ist meistens der Mann, die Möglichkeit hat, die Familie auf dem Standart ihres eigenen Selbstbildes zu ernähren. Paare also, bei denen beide Partner arbeiten müssen, zählen nicht zur bürgerlichen Klasse. Insofern gehört ihr, muss ich dir leider sagen, nicht zur bürgerlichen Klasse! Und insofern müsstest du eher den Kroetz bearbeiten, als den Ibsen.

Hast du eigentlich als Bühnenbildner, der ja oft, wie du es auch selber beschreibst, ein „Zuarbeiter" ist, die Sehnsucht danach, ein urhebender Künstler zu sein? Hast du da ein Minderwertigkeitsgefühl? Oder Neid? Hast du das Gefühl, dich immer einigen zu müssen, nie sagen zu können: so und nicht anders?

Nein, grundsätzlich überhaupt nicht.

Der Architekt ist ja so was. Gut, der hat den Bauherrn und die Stadtplanung und ...

Jeder Architekt würde mich um die Freiheit, die ich als Bühnenbildner gegenüber meinen Arbeitszusammenhängen und dem Regisseur habe, beneiden. Über die fünf zeitgenössischen Architekten der Welt, die diese Abhängigkeit vom Bauherrn nicht haben, über die müssen wir nicht reden ...

Wen gibt's da, der dich irgendwie begeistert?

Nur die Meister der Moderne. Die Architektur ist ja immer ein schönes Mittel, weil man da von außen etwas ins Theater reinholen kann, was erst einmal nicht Theater ist. Da kann man sich bei der zeitgenössischen Architektur vielleicht ein paar Detailanleihen holen. Das, was die Meister der Moderne auszeichnet, ist der Kampf um Einfachheit, um Klarheit. Das versuchen wir auf der Bühne auch.

Eine der Grundfragen, die ich dir stellen wollte, bezieht sich auf das Objekt im Raum, von dem du ja immer ausgehst. Man könnte Bühnenbild ja auch gänzlich anders denken: als Kabinett, als sozusagen geschlossenen Raum. Woher kommt deine Passion, ein Objekt zu erfinden, das man in den leeren, schwarzen Raum reinstellt? Es gibt ja tausend Beispiele – von Anna Viebrock, über Johannes Schütz und Olaf Altmann –, die alle mit dem Kabinett arbeiten. Findet das deswegen bei dir nicht statt, weil alle anderen so arbeiten?

Mich reizt der Versuch, einen Raum auch anders zu erzählen. Dass man das über das Kabinett kann, wissen wir ja.

Da würde sich die Frage, wie platziere ich ein Objekt im Raum, überhaupt nicht mehr stellen: Stattdessen würde der Bühnenraum gänzlich gestaltet, ohne das Außenherum im schon klar begrenzten Raum zu thematisieren. Von einem Bühnenbildner, der von der Architektur kommt, erwartet man eher, Räume zu schaffen. Tust du aber nicht, du kreierst Objekte.

Das Architektonische an meinen Bühnenbildern ist nicht das Dekorative der Architektur, also nicht die Gestaltung von Oberflächen. Ich baue auch Räume, sie haben nur keine Außenwände.

director. The five contemporary architects in the world who have this independence from the principal – we do not have to mention them ...

Is there one among them who you find inspiring ?

Only the masters of modernity. Architecture is always a good instrument, because you can bring something from outside that is first and foremost not theater. You can maybe find a few details to borrow from modern architecture. What distinguishes the masters of modernity is the fight for simplicity, for clarity. We try to do that on stage, too.

One of the basic questions that I wanted to ask is about objects in a space, which is always your point of departure. One could imagine a stage set in a completely different way: as a closet, as a closed room, so to speak. Where does your passion for inventing an object that can be placed in empty, black space come from? There are thousands of examples – from Anna Viebrock, to Johannes Schütz and Olaf Altmann –, all of whom work with the concept of the closet. Do you refrain from doing it just because others do it?

What appeals to me is the attempt to narrate space in a different way. We already know that you can do that with a closet.

Then you would no longer have to ask how to position an object in a space: instead, the whole set would be formed, without making an issue of the fact that everything around it is in a clearly defined space. You might expect a set designer whose roots are in architecture to create rooms. But you do not do that. You create objects.

The architectonic aspect of my sets is not what is decorative about architecture, not the shaping of surfaces. I am building rooms, too. They just do not have any outside walls.

The space that Johannes Schütz created for "Three Sisters" is in no way designed. It is simply an extremely interesting room with its lines. Gray, a gray carpet, and a spotlight, that wanders from left to right throughout the whole performance.

But that is good!

I think so, too!

It may sound stupid, but we have reached a point with our set for "Hedda" where I do not know in what direction we can develop it further. With such an extremely reduced basic arrangement, you actually would have to stop working on the object and go in another direction.

We once formulated an intention for our work, that everything on the stage should be a medium for acting and used as such. There should not be any dead weight. That was also the main reasonI didn't want to use a closet. Besides that, the closet always presents a problem when it cames to lines of sight. At the Schaubühne we have very broad and steep rows seats. They produce enormous spaces. The object sets can be really small and you can still see well from all the seats.

Two last questions: You worked as director and actor with a student theater in Weimar and you describe that as a community that created meaning, as a form of living together and working together with a high quality of life. Those are ambitions that come from off-theater contexts or the co-determination models like the old Schaubühne. In contrast I, here we have arrived at an extremely established and subsidized situation. Do you think about this schizophrenia? Or do you just say: those are the ideals of youth and the early period, this is the reality of the plateau?

It is important to be aware of the extremely privileged position we are in and to know that even this privileged position will change and we will work in other contexts again. Therefore, I also

Der Raum, den Johannes Schütz für „Drei Schwestern" geschaffen hat, ist in keinster Weise gestaltet. Es ist einfach nur ein in seinen Linien extrem interessanter Raum: grau, ein grauer Teppich und ein Scheinwerfer, der über die Dauer der Vorstellung von links nach rechts wandert.

Das ist doch gut!

Ja, finde ich auch!

Das klingt jetzt vielleicht blöd, aber wir haben mit unserer „Hedda"-Bühne einen Punkt erreicht, wo ich nicht weiß, in welche Richtung man das noch weiter treiben kann. Bei einer solchen extrem reduzierten Grundanordnung müsste man eigentlich mit der Arbeit am Objekt aufhören und erstmal in eine andere Richtung weitergehen.

Wir haben ja einmal als Arbeitsanspruch formuliert: Alles, was auf der Bühne steht und Bühne ist, soll Spielmittel sein und als solches genutzt werden. Es soll möglichst keine tote Masse geben. Das war für mich auch ein Hauptgrund, der gegen das Kabinett sprach. Außerdem hat das Kabinett immer ein Problem mit den Sichtlinien. Wir haben an der Schaubühne sehr breite und steile Tribünenreihen. Daraus ergeben sich riesige Räume. Die Objektbühne kann ganz klein sein, und man sieht dennoch von allen Plätzen gut.

Noch zwei Fragen zum Schluss: Du hast in Weimar als Regisseur und Schauspieler beim Studententheater mitgearbeitet und beschreibst dies als sinnstiftende Gemeinschaft, als Form des Zusammenlebens und Zusammenarbeitens mit großer Lebensqualität. Das sind ja Ansprüche, die hauptsächlich aus Off-Zusammenhängen oder Mitbestimmungsmodellen, wie bei der alten Schaubühne, kommen. Wir dagegen sind hier an einem Ort angekommen, der extrem etabliert und auch subventioniert ist. Denkst du über diese Schizophrenie nach? Oder sagst du einfach: Das eine sind die Ideale der Jugend und der Aufbruchszeit, das andere die Wirklichkeit der Hochebene?

Wichtig ist, dass man sich dieser extrem privilegierten Situation bewusst ist und weiß, auch diese privilegierte Situation wird sich einmal ändern, und wir wieder in anderen Zusammenhängen arbeiten. Insofern weiß ich auch, dass gutes Theater nicht allein von seinen Mitteln abhängig ist. Ein guter Ostler würde jetzt sagen, dass gute Mittel kreativitätshindernd sind und man nur in der Beschränkung richtig schöpferisch sein kann.

Auch in der Architektur gilt, gute Dinge sind teuer. Die Moderne war eine sehr einfache, sehr klare, aber auch eine selten teure Angelegenheit in der Architekturgeschichte. Und sie konnte nur deshalb gut sein, weil sie in ihrer Einfachheit, in den Materialien und im Detail kostspielig war. Der Untergang der Moderne war, dass sie sich weltweit unter dem Missverständnis reproduzierte, eine einfache Formsprache könne man auch billiger bekommen. Am Theater trägt man gegenüber den Subventionsgeldern eine Verantwortung. Und je mehr Gelder man hat, desto mehr lastet natürlich der Anspruch, gutes Theater zu machen, auf uns. Wir können nicht so wie in Senftenberg Theater machen. Das kann man halt nur in Senftenberg. Auch die Kollegen aus Senftenberg könnten hier nicht so arbeiten.

Also, eine Anmerkung hätte ich gern noch gemacht. Ich habe vor Jahren auf einer Sitzung mit den Dramaturgen bei mir zu Hause gesagt: Wir haben es mit der Schaubühne noch nicht geschafft, unsere Ästhetik zu finden. Das war vor „Nora", „Der Würgeengel", „Zerbombt", „Hedda" und „Trauer muss Elektra tragen". Mit eigener Ästhetik meinte ich Räume, Welten und Oberflächen, die man nur hier am Haus sieht. Ich würde es als unser beider größte Errungenschaft bezeichnen, dies mit den oben genannten Inszenierungen erreicht zu haben.

Auf die Frage mit der eigenen Ästhetik habe ich bisher immer geantwortet, dass wir uns damit auch schwer tun, weil wir der dramatischen Vorlage eine extreme Wertschätzung beimessen. Dass wir uns mehr als andere davor scheuen, sie in eine Welt hineinzuziehen, in der sie nicht zu Hause ist. Denn eine ästhetische Welt steht auch immer für eine soziale. Wir haben diese Ästhetik in den letzten Jahren auch gefunden, weil wir uns seit „Nora" immer wieder mit dieser sozialen Welt

know that good theater is not only dependent on its funding. A good East German would say that good funding stunts creativity and you can only be truly creative working within constraints. It is also true in architecture that good things are expensive. Modernity was a very simple, very clear, but also a very expensive chapter in the history of architecture. It was able to be good, because it was expensive in its simplicity, in the materials, and in the details. The downfall of modernity was that it reproduced itself worldwide under the misunderstanding that a simple language of forms could be had cheaper. In the theater you have a responsibility for the subsidies. And the more money we have, the heavier the responsibility to produce good theater weighs on us. We cannot do theater like in Senftenberg. You can only do that in Senftenberg. And our colleagues in Senftenberg could not work like that here.

So I would like to make one more comment. Years ago at a meeting with the dramaturges at my home I said: We have not managed to find our own aesthetic yet. That was before "Nora", "The Strangling Angel", "Blasted", "Hedda", and "Mourning Becomes Electra". By our own aesthetic I meant spaces, worlds, and surfaces that you can only see in our theater. I would say that our greatest accomplishment is having achieved that with the productions I mentioned before.

Up to now, I have always said that we have had a hard time with the question about our own aesthetic, because we place enormous value on the original drama. We before, have more reservations than other people against pulling it into a world where it is not at home. An aesthetic world always stands for a social world. We found this aesthetic in the last years, because we have been dealing with this social world again and again since "Nora". Of course, there were other productions during this time, where it was not like that.

"Woyzeck", "The Wish-Concert", "Eldorado"...

If we now deal with different social realities, then this will also change. At least for this time period, we have made it. You cannot pull everything into this social world, and so dealing with the bourgeois world, with this glossy world and its aesthetic is questionable with regard to costly theater, waste, and so on – so much more susceptible to criticism than the lower social levels.

That would be our next task: to create another world that can be associated with us, that hasn't been seen too often before.

beschäftigt haben. Natürlich gab es auch Produktionen in dieser Zeit, wo das nicht so war.

„Woyzeck", „Wunschkonzert", „Eldorado" ...

Wenn wir uns jetzt mit anderen sozialen Wirklichkeiten beschäftigen, wird das auch anders werden. Aber zumindest für diesen Zeitabschnitt haben wir es geschafft. Man kann aber nicht alles in diese soziale Welt reinziehen – und insofern ist die Auseinandersetzung mit der bürgerlichen Welt, mit dieser Hochglanzwelt und ihrer Ästhetik, viel anfechtbarer im Hinblick auf teures Theater, Verschwendung usw., also viel kritikgefährdeter als die unteren sozialen Ebenen.

Das wäre dann unsere nächste Aufgabe: eine andere Welt zu schaffen, die man mit uns verbinden könnte, ohne dass man sie vorher schon häufig gesehen hat.

AREVA

Blumen
Wintergärten
Wintergärten
BLUMEN
ROSSMANN
Döner
Hähnchen
Internationales Bistro
Vegetar.
Gerichte
Getränke
Internationales Bistro
Internationales Bistro
Lübzer Pils
HEIZHAUS

Schon BZ gelesen?
Langnese

WOYZECK | GASTSPIEL AVIGNON

JAN PAPPELBAUM

DAS DENKMAL IST BEWOHNT

Wer will, kann von Berlin direkt mit der Bahn nach Hoyerswerda reisen. Die Züge fahren regelmäßig, im Zwei-Stunden-Takt, immer 15 Minuten vor der ungeraden Stunde, zwei Stunden und acht Minuten.

Ich fuhr das erste Mal im Frühsommer diesen Jahres. Die Fahrt hatte wenig Höhepunkte, dafür reichlich brandenburgischen Wald, darüber steht nahe der Station Brand die Kuppel der größten leerstehenden Halle der Welt wie ein Wahrzeichen der Region. Hinter dem Bahnhof Lübbenau wird die Strecke auffällig gerade. Vor den Fenstern glatte und leere Ebenen und nur noch wenige Stationen, an denen der Zug halten kann. Der Widerstand der Landschaft wurde in jahrzehntelanger Arbeit gebrochen. Die Bagger verschwanden, zurückgeblieben sind gigantische Löcher im Ausmaß der gewonnenen Kohle, nun gefüllt mit Wasser. Wir lernten die Löcher in der Schule kennen, sie hießen dort Lausitzer Seenplatte und sollten der Ort für die Erholung nach Beendigung der großen Arbeit sein. Doch die Badelust wird gebremst durch die am Ufer dicht und regelmäßig stehenden, auf Lebensgefahr hinweisenden Schilder. Die Landschaft ist noch immer voller Zeichen des Kampfes um Rohstoffe und Energie. Kraftwerke und Neubaustädte stehen konkurrenzlos als monolithische Fremdkörper über dem niedrigen Wald.

Aber die Denkmäler sind weiter bewohnt. „Voll das Leben“ wirbt die Regionalzeitung auf einer hellblauen Häuserwand über dem Zentrum der Neustadt. Ein zu großes Kompliment für einen Platz, dessen Erbauer der Überzeugung waren, dass die Menschen noch wachsen würden. Ihre Hoffnung hat sich nicht erfüllt. Leere Betonkörper stehen neben den gerade gescheiterten Versuchen einer Verschönerung durch nun andere Architekten, die allein dem Fehlen vieler Farben die Schuld gaben. Die Ruhe auf den Straßen steht in keinem Verhältnis zur Anzahl der Fenster und verbreitet ein Gefühl von unangenehmer Leere. Selbst die Attraktionen der neuen Zeit haben sich keine Mühe gegeben. Allein ein Neubau, in dem sich das Arbeitsamt und die obligatorischen Kreditinstitute die Nutzfläche teilen, erspart den Bewohnern weitere Wege, dennoch kann das Gebäude ihr Verhältnis zur Architektur sicher keinesfalls verbessern. Auch der neue Besitzer des zentralen Warenhauses empfand die bewährte Gestaltung seiner Vorgänger als ausreichend. Zwischen den Wohnblöcken

Whoever wants to can take the train directly from Berlin to Hoyerswerda. There are regular departures every two hours, always fifteen minutes before the odd-numbered hour. It takes two hours and eight minutes.

I went for the first time in the early spring of this year. The trip has few highlights, but lots of the Brandenburg woods. Over some of these stands the dome of the largest abandoned hall in the world, near the station Brand, like a landmark for the region. Past the train station Lübbenau the tracks become noticeably straight. Smooth and empty plains in front of the windows and only a few stations at which the train can stop. The landscape's resistance was broken through decades of work. The excavating machines have disappeared. What remains are gigantic holes the extent of the removed coal, now filled with water. We became familiar with the holes in school. There they are called the Lausitz lake region and were supposed to be a place for recreation after the end of the big project. But the desire to go swimming was halted by the regularly reoccuring signs near the shore that warn of to life-threatening danger. The landscape is still full of signs of the fight for raw materials and energy. Power plants and newly built cities tower over the low woods without rivals, monolithic foreign bodies.

But the monuments continue to be inhabited. "Full of life" advertises one local newspaper on a light blue house facade, above the center of the new part of the city. Too large a compliment for a space where the builders were convinced that the population would continue to grow. Their hope has not been fulfilled. Empty cement buildings stand beside the recently failed attempts at beautification by other architects who blamed everything on the lack of color. The quiet of the streets does not stand in relation to the number of windows and spreads the feeling of unpleasant emptiness. Even the modern attractions have not made any effort. Only a new building, where the employment center and the obligatory credit institutions share floor space save the inhabitants further trips, but the building can hardly improve their relationship to architecture. Even the new owner of the central department store found the time-tested design of his predecessor to be sufficient.

JAN PAPPELBAUM

THE MONUMENT IS INHABITED

Between the apartment blocks there are facilities for hanging up the wash, but the wash only seldom swings in the wind with Mediterranean flair, providing information about the private tastes of its owner. Elsewhere, these spaces offered me a great place to play as a child. The rows of bed sheets were the best hiding places. The wind could make the way back unrecognizable and confuse you with the uncanny smell of washing detergent. Some mothers always chased us off and we later got our revenge with the amusing guessing game of which underwear matched which bodies.

Only a few of the inhabitants are orginally from this region. Most of them arrived in the period of construction. The city was the first of its kind in the country and planned as a shining symbol of a new era. Only in the last year of life the country's was the construction completed. The quality of work today is the quality of life tomorrow is what they said. A new apartment was something special and was considered a prerequisite for happiness. When I was walking around I did not believe that you could explain these values today. The monument is lacking in compartments. What did it mean to work for which is now yesterday today. I found myself interested in the crampedness of the living conditions before moving in here and the new reality it offered of being able to close your own door behind you. I thought about setting up a historical space, whose extreme tightness and communality we would find unbearable.

I was visiting the tomorrow that has become today. Many people have left. The others continue to live in the now worthless result of their work. But the change in values seems to make the severity of the facts bearable. The new red construction trucks have arrived and have started to tear down the empty apartment blocks. They work more slowly than the people leave. Soon the region might not only have the largest empty hall, but also the world's largest empty city. It is also possible that the first builders will see the return of the big green field that was where the city is today. Only the new trees will be standing, as tall as on the posters of the city planners. It is a beautiful thought to have mistakes unbuilt by their creators.

stehen große Anlagen zum Trocknen der Wäsche, welche aber nur vereinzelt lebendig und südländisch im Wind weht und Auskunft über den intimen Geschmack ihrer Besitzer gibt. Diese Plätze waren mir anderswo im Kindesalter ein toller Ort zum Spielen, die Gänge aus Bettlaken boten die besten Verstecke, der Wind konnte den Rückweg unkenntlich machen und einen mit dem unheimlichen Geruch von Waschmitteln in die Irre treiben. Immer verjagt von irgendwelchen Müttern, rächten wir uns dann später mit dem amüsanten Ratespiel, welche der hängenden Unterwäsche ihren Körpern zuzuordnen sei.

Nur wenige der Einwohner stammen aus dieser Gegend, die meisten kamen in der Zeit des Aufbaus hierher. Die Stadt war die erste ihrer Art im Land und geplant als strahlendes Zeichen einer neuen Zeit, im letzten Lebensjahr ihres Landes erst war der Aufbau abgeschlossen. Die Qualität der Arbeit im Heute sei die Qualität des Lebens von morgen. Eine neue Wohnung war etwas Besonderes und galt als Voraussetzung für das Glück. Ich glaubte bei meinem Rundgang nicht daran, dass diese Wertschätzung noch zu erklären sei. Dem Denkmal fehlt es an Abteilungen. Was war die Arbeit im Heute, das nun das Gestern ist? Die Enge des Wohnens vor dem Einzug schien mir interessant zu sein und der neue Umstand, eine eigene Tür hinter sich schließen zu können. So dachte ich an die Einrichtung eines historischen Raumes, dessen extreme Enge und Gemeinschaftlichkeit uns unerträglich sein muss.

Ich war zu Besuch im Morgen, welches das Heute geworden ist. Viele sind wieder gegangen, die anderen wohnen weiter im nun wertlosen Ergebnis ihrer Arbeit. Aber die Veränderung der Werte scheint die Härte der Tatsache erträglich zu machen. Die neuen roten Bagger sind gekommen und haben begonnen die leeren Häuserblocks zu zerreißen. Sie arbeiten langsamer als die Leute gehen. So könnte die Region nach dem Hallenrekord noch Standort der weltgrößten leer stehenden Stadt werden. Aber noch ist auch möglich, dass die ersten Erbauer die große grüne Wiese wiedersehen, welche die Stadt vorher war. Nur die neuen Bäume werden stehen, jetzt so groß wie auf den Schautafeln der Planer. Es ist ein schöner Gedanke, Irrtümer von ihren Schöpfern selbst wieder abbauen zu lassen.

SUPERUMBAU, Hoyerswerda 2003

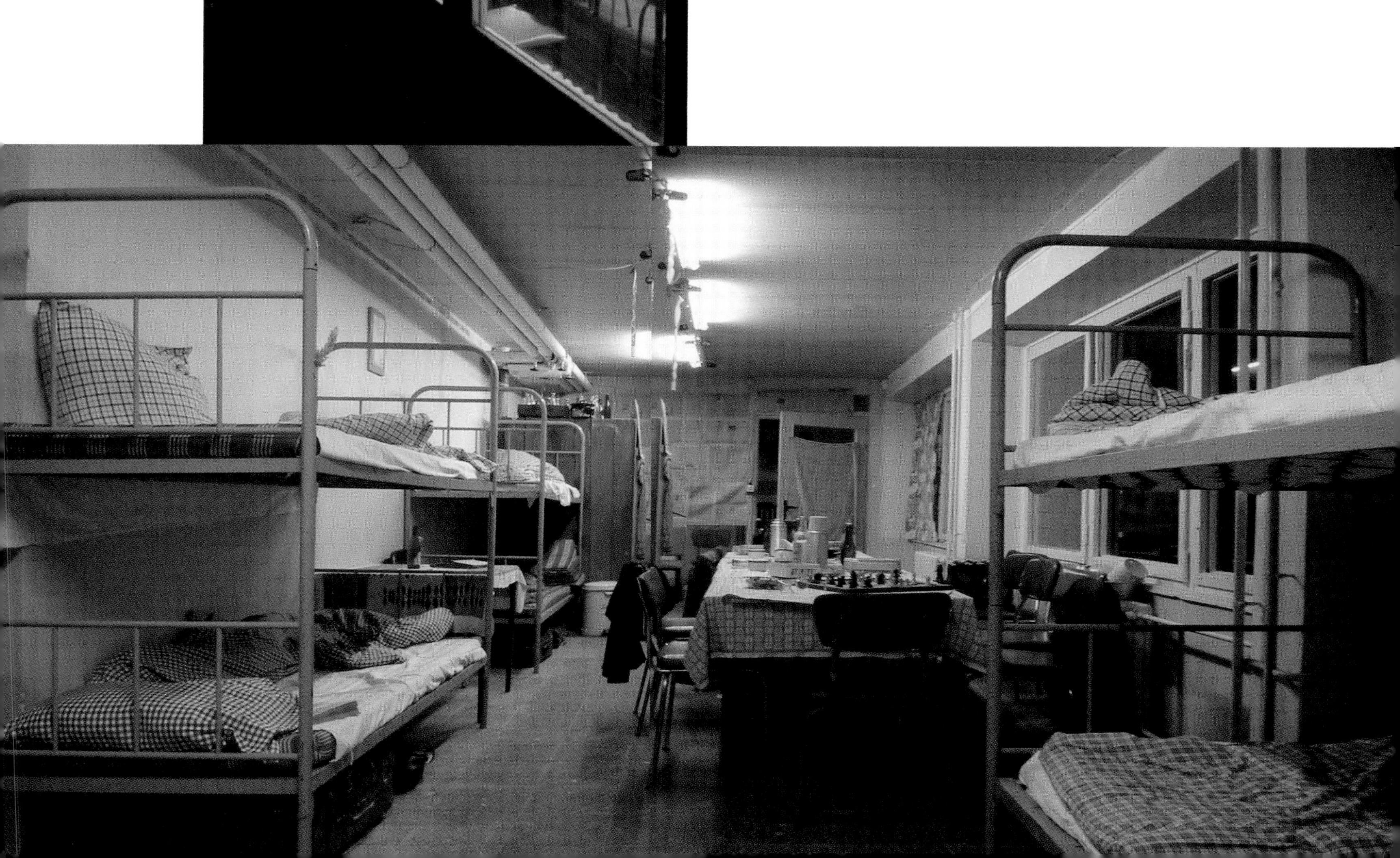

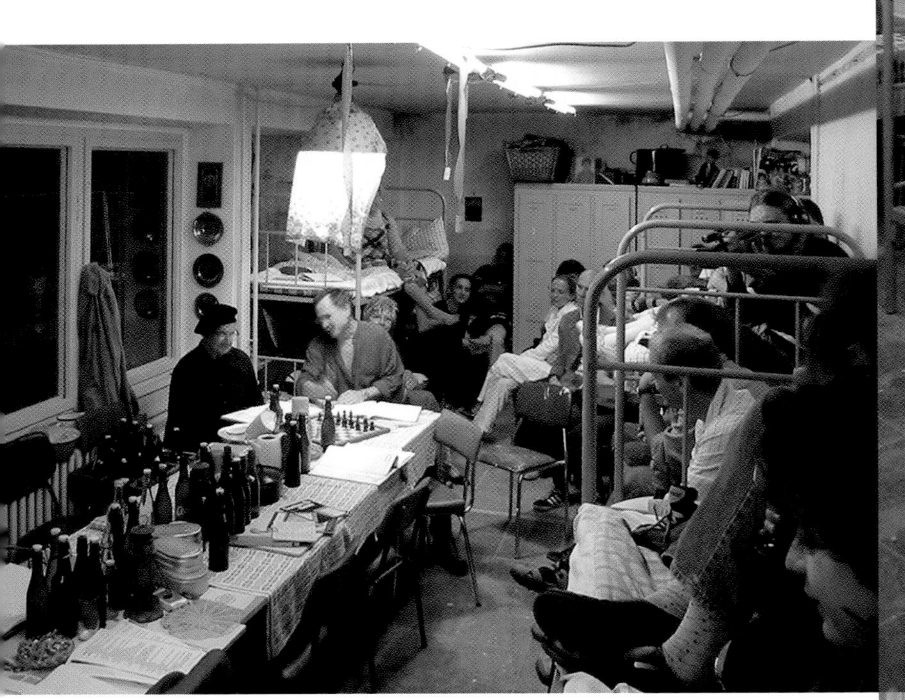

MOTEL
AIR CONDITIONED
MOTEL
AIR CONDITIONED

FALK RICHTER

VON DER IDEOLOGIE DER EFFIZIENZ

Was ist das besondere an der Zusammenarbeit mit Jan Pappelbaum? Jan ist ein Forscher – vor der ersten Zeichnung für die Bühne kommt die Forschungsarbeit, die Recherche – und die geschieht direkt. Keine Ausrisse aus dem aktuellen Kunstforum, nicht der Katalog der neuen angesagten Ausstellung. Die ersten Auseinandersetzungen über ein Stück oder eine Bühne beginnen damit, dass Jan mit seiner Kamera losgeht und Menschen in / und reale(n) Räume(n) beobachtet und fotografiert. Im Falle unserer gemeinsamen Arbeit an „Das System" hieß das: Wie sehen sie denn nun aus, die Räume, in denen die flexible workforce, die Berater, die Büroarmeen nebeneinander sitzen und Strategien entwickeln, wie das ganze Leben, die gesamte Gesellschaft noch effektiver gestaltet werden können. „Das System" war eine Forschungsarbeit, ein Versuch, mit theatralischen Mitteln den Veränderungen der westlichen Demokratien, dem Wertewandel und der Ausrichtung auf neue innenpolitische und außenpolitische Strategien nachzuspüren und ihnen eine Ausdrucksform zu verleihen. Praktisch bedeutete dies: Jan musste Räume bauen für Stücke, die noch nicht geschrieben waren, für Texte, die sich noch während der Arbeit verschoben oder die erst während und durch die Proben gefunden oder fertig gestellt wurden. Zu Beginn unserer Arbeit konnte ich ihm nur Fragmente oder Notizen geben, Dokumentarmaterial vermischt mit ersten Stückansätzen. Jan verschwand damit für ein paar Wochen und produzierte seine Fotoserien. In meiner Wohnung hingen also kurze Zeit später massenweise Bilder von vereinsamten Männern um die 40, die hinter ihren Schreibtischen zusammensanken, lange Gänge in leeren Flughafenhallen, Shoppingmeilen, wo erschöpfte Effizienzarbeiter neben riesigen Tony Guard-Plakatwänden ihren Laptop anschließen, um noch ein paar Emails zu verschicken. Es gab Serien von leeren Warteräumen, die Jan im Kanzleramt aufgenommen hatte, Räume, die leise vor sich hin atmeten, immerzu menschenleer, in denen abstrakte Kunst herumstand, eine Kunst, die auf der Grundlage genauer Marketingforschung ihren Weg dorthin gefunden hatte: Sie durfte keine Gefühle auslösen, durfte nicht stören, sollte nicht polarisieren, sollte nur allgemein ein Gefühl von Kultiviertheit vermitteln. Oder Räume, die so groß sind, dass die Menschen darin verloren gehen; man erkennt sie kaum, sie stehen mit ihren Handies vor großen Fens-

What is special about working with Jan Pappelbaum? Jan is a researcher – research is done even before the first drawing for the stage, research is done – and it is done directly. No tearing pages out of the current issue of Kunstforum, nor from the catalog for a hyped new exhibition. When he first starts dealing with a play or a stage set, Jan goes out with his camera and observes and takes pictures of people in/and real spaces. In the case of our work together on "The System" that meant: how do they look, these rooms in which the flexible workforce, the consultants, the office armies sit next to each other and develop strategies for making all of life, the whole society even more effective. "The System" was a research project, an attempt to trace the changes in Western democracies and the turn towards new domestic and foreign policy strategies using the means of the theater and to give them a new form of expression. In practice, this meant that Jan had to build spaces for plays that had not been written yet, for texts that were works-in-progress or that we found or completed only during and through rehearsals. At the beginning of our work together, I could only give him fragments or notes, documentary material mixed with the first rudiments of the play. Jan disappeared with these for a few weeks and produced his photo series. Hanging in my apartment a little later were masses of images of lonely men around age 40, sinking down behind their desks. Long hallways in empty airport terminals. Shopping streets where exhausted efficiency workers plug in their laptops next to enormous Tony Guard billboards to send a couple of emails. There were series of empty waiting rooms that Jan took in the German Chancellery. Rooms that breathed softly, always empty of people, with abstract art standing around, art that found its way there because of precise market research: it could not provoke any emotions, disturb anybody, it should not polarize, but only impart a general feeling of being cultured. Or spaces that are so big that people get lost in them. You can hardly recognize them. They stand with their cell phones in front of large windows and look at the display panels or at the airplanes being prepared for take-off. They disappear behind enormous mountains of cables that connect their rows of computers with each other, or they pull their hair out in a glass box standing next to another glass box, in which another man is standing and pulling his hair out, who looks just like the man pulling out his hair in the first box, and looking at the man in the third glass box, who looks just like the man in the fourth glass box, who is also watching him. These series of pictures arrived at a time in my life when I was still sitting at home and writing texts that were to be given to the actors a few weeks later – I saw these images when I made coffee in the morning, when I sat at my desk, when I walked down the hall ... in this way, these photographic observations became part of the texts that I wrote for "The System" and so text, space, and later the production were connected in a special way. The first versions of my play "Under Ice" had inspired Jan's photographic search and now these pictures flowed back into the later versions of the text. An ideal process to approach a common space in the end.

The stage set for "Under Ice" went through various forms: first, there was a airport waiting lounge, built from the benches in the Schaubühne's lobby, which resembles an airport lounge anyway. Then the perfect reproduction of a completely soulless, antiseptically immaculate waiting room in the Chancellery – a reconstructed picture, that is, an original site: the men who sit together and consult in my play are actually sitting in Berlin a few kilometers away. The decisive step was then taken towards a large form, based on observation, on reality, but larger than life: Thomas Thieme, Mark Waschke, and André Szymanski sit behind a 15 meter long object – a giant, black table that looks like an airport runway hovering above the ground, or like a sheet of ice or like an giant conference table in some strange bunker in which some men sit frozen as if under ice and negotiate, make plans, and aim to reach some goal – dead but majestic, Thomas Thieme in the middle, who gains so much authority behind the giant object that he does not have to move during the whole production – and when he leaves his place, he loses all his power and become a small child who is scolded. In the end, the room corre-

tern und schauen auf Anzeigetafeln oder auf Flugzeuge, die bereitgestellt werden, sie gehen unter hinter riesigen Kabelbergen, die ihre Computerreihen miteinander vernetzen oder sie raufen sich die Haare in einer Glasbox, die neben einer anderen Glasbox steht, in der auch ein Mann steht, der sich auch die Haare rauft und der genauso aussieht, wie der Mann in der ersten Box, der sich auch die Haare rauft und auf den Mann in der dritten Glasbox sieht, der genauso aussieht wie der Mann in der vierten Glasbox, der ihn auch beobachtet. Diese Fotoserien kamen zu einem Zeitpunkt in mein Leben, als ich noch zuhause saß und an den Texten schrieb, die dann Wochen später den Schauspielern in die Hand gedrückt werden sollten – ich sah die Bilder, wenn ich morgens Kaffee kochte, wenn ich an meinem Schreibtisch saß, wenn ich meinen Flur entlangging ... so wurden diese fotografischen Beobachtungen Teil der Texte, die ich für „Das System" schrieb, und so verbanden sich Text, Raum und später Inszenierung auf eine ganz besondere Weise: Meine ersten Fassungen zu meinem Stück „Unter Eis" hatten Jans Fotosuche inspiriert und nun flossen diese Fotos wiederum in die späteren Textfassungen ein. Ein idealer Prozess, um sich dann endlich einem gemeinsamen Raum anzunähern.

Die Bühne zu „Unter Eis" durchlief mehrere Formen: Zunächst war es eine Flughafenwartehalle, zusammengebaut aus den Pausenfoyerbänken der Schaubühne, die ja ohnehin einer Flughafenwartehalle ähnelt. Später dann das genaue Abbild eines vollkommen entseelten, keimfreien Kanzleramtswartezimmers – ein nachgebautes Foto, also ein Originalschauplatz: So sitzen ein paar Kilometer weiter in Berlin tatsächlich die Männer, die auch in meinem Stück zusammensitzen und beraten. Der entscheidende Schritt war dann der zur großen Form, die auf dem Beobachteten, auf dem Realen fußt, aber größer ist als das Leben: Thomas Thieme, Mark Waschke und André Szymanski sitzen hinter einem etwa 15 Meter langen Objekt – einem riesigen schwarzen Tisch, der aussieht wie eine Flugzeuglandebahn, die über dem Boden schwebt, oder wie eine Eisplatte oder wie der riesige Verhandlungstisch in irgendeinem seltsamen Bunker, in dem Männer festgefroren wie unter Eis sitzen und verhandeln, beschließen, planen und zu irgendeinem neuen Endziel kommen wollen – tot, aber majestätisch, im Mittelpunkt Thomas Thieme, der hinter dem riesigen Objekt so viel Autorität gewinnt, dass er sich während der gesamten Aufführung nicht bewegen muss – und wenn er seinen Platz verlässt, verliert er auch all seine Kraft und wird zum kleinen Jungen, der gemaßregelt wird. Der Raum entsprach am Ende der überhöhten Form des Textes „Unter Eis" – ein Text, der sich auf genaue Recherche bezieht, die Sprache der Berater bis ins fotografische Detail abbildet, aber zusehends irrealer, größer, phantastischer und dadurch auch bedrohlicher und vielleicht wissender wird – in der Vergrößerung schaut er hinaus auf das, was bereits als Ausnahmezustand in unsere Realität hineingeschrieben ist, was aber in Kürze jeder als Normalzustand akzeptieren wird: Eine neue Gesellschaftsordnung, die Wirtschaftlichkeit und Effizienz in allen Lebensbereichen – privat oder öffentlich, wenn das dann noch zu trennen sein wird – zum höchsten Wert erklärt.

„Das System" war bislang meine erste Arbeit mit Jan Pappelbaum – so wie wir versuchten, die Ideologie der Effizienz für das Theater als Thema zu gewinnen, so gewann auch die Ideologie der Effizienz im Kampf um die Theater. Für vier (neue) Stücke im kleinsten Saal der Schaubühne hatten wir einen Etat zur Verfügung, der dem einer einzigen Inszenierung eines klassischen Stückes in einem der größeren Säle entspricht. Klassische Stoffe sind kassensicherere Angelegenheiten: Der Kunde weiß, was ihn erwartet und das macht das Produkt für ihn interessanter. Das, was wir inhaltlich auf der Bühne verhandelten, bestimmte auch unsere Ästhetik. Kurze Probenzeiten, wenig Geld und damit so kreativ und lustvoll wie möglich umgehen und Ergebnisse schaffen, die sich dann doch neben den so genannten großen Produktionen sehen lassen können. So wurde die Arbeit auch ein Pilotprojekt für eine finanzbewusste Ästhetik: Neue Stoffe, ergebnisoffener Arbeitsansatz bei möglichst minimalen Kosten – und dennoch muss die Ästhetik mithalten können mit der Ästhetik der Macht, die sie thematisiert. Wie das genau zu schaffen ist, bleibt in weiten Teilen das Geheimnis von Jan Pappelbaum, dem ich bei diesem Wunder mit großer Begeisterung zuschauen durfte.

sponds to the excessive form of the text "Under Ice" – a text based on exact research, reproducing the language of the consultants in photographic detail, but which progressively becames more unreal, larger, more fantastic and thereby more threatening and perhaps more knowing – in the enlargement it looks up towards what is already written into our reality as an exceptional situation, but which will soonbe accepted by everyone as the normal situation: a new social order, which declares economy and efficiency in all areas of life – private or public, if they can still be separated – to be the highest virtue.

"The System" was my first production with Jan Pappelbaum – just as we were trying to win the ideology of efficiency as a topic for the theater, the ideology of efficiency won in the battle for the theater. For four (new) plays on the smallest stage of the Schaubühne, we had a budget equal to one single production of a classic play on the big stage. Classic material is a sure thing at the box office: the customer knows what he can expect and that makes the product more interesting to him. The content we were dealing with on the stage determined our aesthetic as well. Short rehearsal periods, little money, and dealing with that as creatively and happily as possible and achieving results that can stand alongside the so-called big productions. The work thus became a pilot project for a financially aware aesthetic: new materials, an open-ended approach to work with as little cost as possible – and the aesthetic still must hold its own with the aesthetic of power that it takes as its subject. How that can be done, remains to a large extent Jan Pappelbaum's secret. With great enthusiasm I watched him perform this miracle.

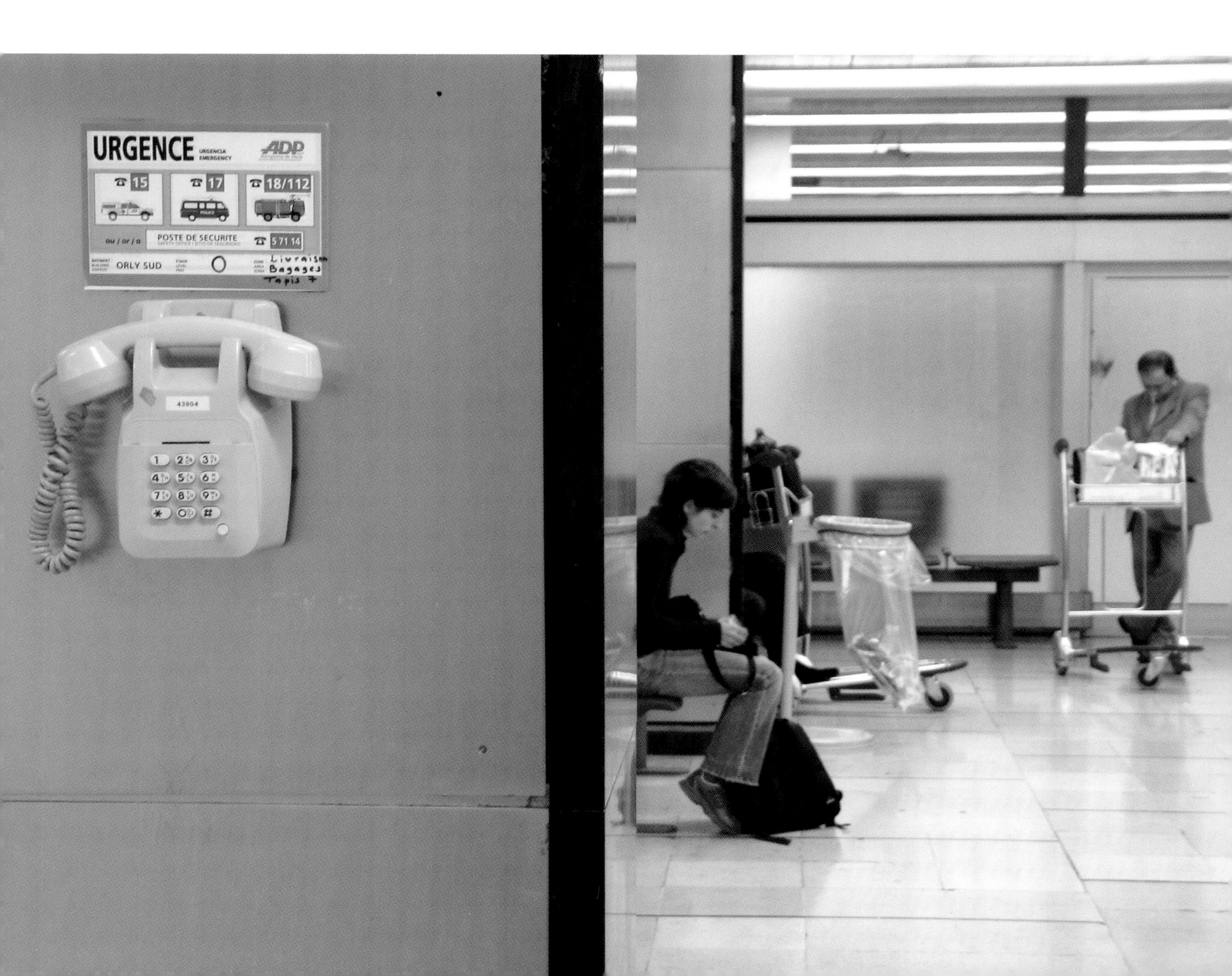
URGENCE
URGENCIA
EMERGENCY
ADP
15
17
18/112
ou / or / o
POSTE DE SECURITE
5 71 14
ORLY SUD
0
Livraison
Bagages
Tapis 7
43904

There tomorrow.
Let's talk business
And everywhere connected: sunrise mobile network.

Mountains

SYSTEM III / IV | WENIGER NOTFÄLLE (AMOK) / HOTEL PALESTINE | 2004

SOLNESS /

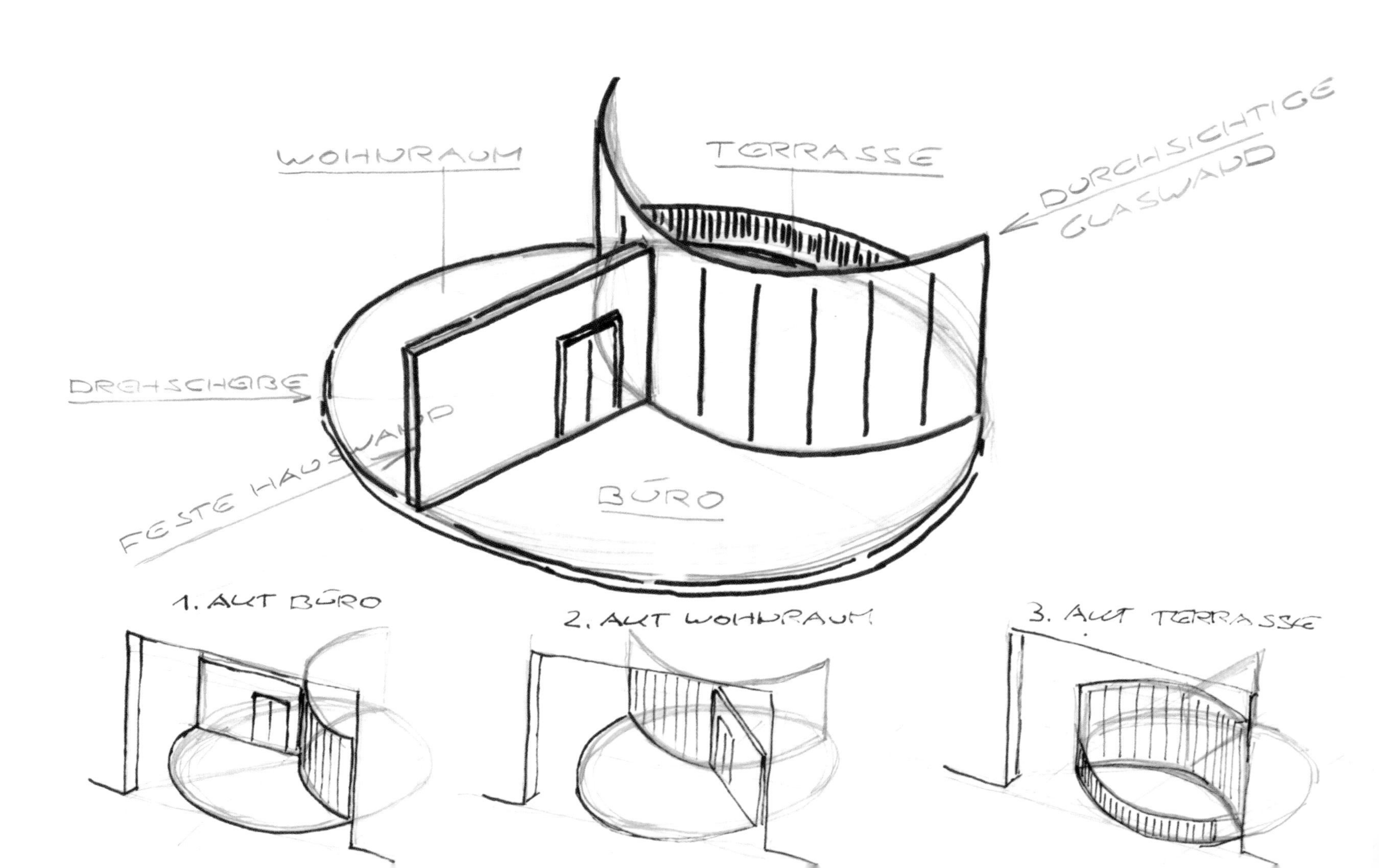
WOHNRAUM
TERRASSE
DURCHSICHTIGE GLASWAND
DREHSCHEIBE
FESTE HAUSWAND
BÜRO
1. AKT BÜRO
2. AKT WOHNRAUM
3. AKT TERRASSE

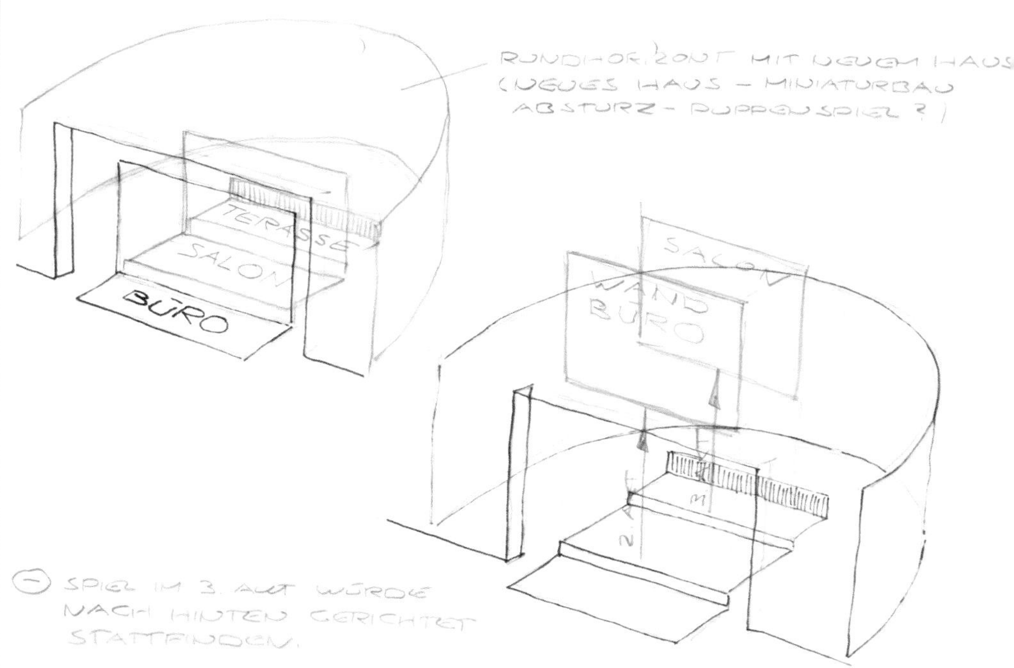
RUNDHORIZONT MIT NEUEM HAUS
(NEUES HAUS – MINIATURBAU
ABSTURZ – PUPPENSPIEL ?)
TERASSE
SALON
BÜRO
SALON
WAND
BÜRO
SPIEL IM 3. AKT WÜRDE
NACH HINTEN GERICHTET
STATTFINDEN.

MARIUS VON MAYENBURG

NÄHE UND DISTANZ

Vor ein paar Jahren hat Jan Pappelbaum eine Bar eingerichtet, und zwar für die Baracke am Deutschen Theater, eine so genannte Nebenspielstätte mit 99 Plätzen in einer ehemaligen Baubaracke. Die Bar war nicht mehr als ein Zimmer in einem Container, der hinter der Baracke auf dem Rasen stand. Meistens herrschte hier eine Atmosphäre, wie man sie von Privatparties kennt, wo sich alle Gäste in die Küche quetschen. Der Boden war mit Baumarkt-Laminat ausgelegt, und an den Wänden standen ein paar Polstermöbel, die aussahen wie vom Sperrmüll. Bei allem provisorischen Charme wirkte der Ort so, als hätte es ihn schon immer gegeben. Wahrscheinlich fühlte man sich auch deshalb so wohl dort, weil sich hier kein überambitionierter Innenarchitekt ausgetobt hatte. Nur an einer Stelle hatte Pappelbaum eine auf den ersten Blick unauffällige, aber dennoch prägnante Signatur angebracht, auf die man aufmerksam werden konnte, wenn man sich ein Bier bestellte: Die Barkeeper hinter dem Tresen sahen irgendwie kurz aus, und wenn man an der Bar lehnte, war das im Schulterbereich nicht wirklich angenehm: Der Tresen war zu hoch. Nicht grotesk hoch, aber genau die 20 oder 25 Zentimeter, die man nach einiger Zeit im Schultergelenk spürt. Der einzige, der bequem an diesem Tresen stand, war Pappelbaum. In seiner Jugend gehörte er zum Volleyball-Nationalkader der DDR, im Westen hätte er vermutlich Basketball gespielt. Seine Kollegen haben sich an den Anblick gewöhnt, dass er grundsätzlich, wenn er einen Raum betritt, den Kopf einzieht, als würde er sich in eine Puppenstube zwängen. Er ist einfach sehr, sehr groß. Er ist wahrscheinlich der einzige Mitarbeiter, zu dem Thomas Ostermeier aufblicken muss, und der ist ungefähr zwei Meter hoch.

Auf einer Premierenfeier wurde Pappelbaum neulich von einem betrunkenen Kritiker angekalauert, er solle nicht immer so von oben auf ihn herabblicken. Kein besonders fairer Vorwurf, wo Pappelbaum schon rein physisch nichts anderes übrig bleibt. Ich finde einen anderen, nicht weniger biologistischen Kurzschluss nahe liegender: Mir kommt es tatsächlich manchmal so vor, als hätte Pappelbaum durch die Höhe, auf der bei ihm die Augen angebracht sind, eine Perspektive auf die Welt, die sich um einige entscheidende Zentimeter von der Perspektive seiner Mitmenschen unterscheidet. Als hätte er von seinem Ausguck da oben die Möglichkeit zu einer distanzierteren Betrachtung

A couple of years ago, Jan Pappelbaum set up a bar, a bar for the Barracks of the Deutsches Theater, a so-called alternative stage with 99 seats in a former construction barracks. The bar was nothing more than a room in a container that stood on the grass behind the Barracks. Usually there was an atmosphere well-known from private parties where all the guests squeeze into the kitchen. The floor was covered with construction store laminate and along the walls there was upholstered furniture that looked like it might have been found on the street. For all its provisional charm, the space looked like it had always been there. People probably felt so comfortable there, because no overly ambitious interior designer had gone crazy. Only in one place had Pappelbaum put an easily overlooked, but still significant, mark. When you ordered a beer you might notice it. The barkeepers behind the bar seemed somehow short and when you leaned against the bar it was somehow not really comfortable on the shoulders. The bar was too high. Not grotesquely high, but exactly the 20 or 25 centimeters that you felt in you shoulder joints after a while. The only person who could stand at the bar and be comfortable was Pappelbaum. When he was younger he was a member of the national volleyball team of the GDR. In the West, he probably would have played basketball. His colleagues have gotten used to seeing him duck whenever he enters a room, as if he were forcing himself into a doll's house. He is simply very, very tall. He is probably the only colleague Thomas Ostermeier has to look up to, and he himself is is almost two meters tall.

Recently at an opening-night party, Pappelbaum was told jokingly by a drunk critic that he should stop always looking down on him. Not quite a fair criticism, because in a purely physical sense, Pappelbaum does not have much choice. I find another less biologically determined short circuit closer to the truth: sometimes it really does seem to me that, by virtue of the height of his eyes, Pappelbaum has a perspective that separates him by a few decisive centimeters from the perspective of those around him. It is as if in his lookout up there he had the possibility to make detached observations , overlooking the turmoil, which then come down as amazing and enlightening thoughts. He literally has an overview that allows him not to lose sight of the forest for the trees when working. One colleague called him wise because of this. With his intelligent positions he has become something of a shadow dramaturge for the Schaubühne over the years, one whose opinion carries weight in all artistic decisions. I do not seriously want to speculate as to whether Pappelbaum has this overview because he is so tall. Perhaps he is so tall because his body had to take his inner need for distance into account, almost had to create a viewing platform for him up high.

In any case, since we started working together, Pappelbaum and I keep coming back to a discussion about closeness and distance. Our positions are – and I am abbreviating them – these: I want to have as much of the actor as I can in theater, because the flesh-and-blood actor is for me the main resource the theater has in comparison with other media. For that reason I want to be as close as possible to the action, preferably right up amongst the actors on stage. That is why I take pleasure in small, intimate theaters like the Barracks mentioned earlier. During rehearsals Pappelbaum likes to sit in the back where he has some distance and can keep an overview. He values the fact that in the theater, in contrast to film, you can choose which actor to follow with your eyes and what to concentrate on. It does not bother him to see the spectators in the rows in front of him. He does not believe in the illusion that might be destroyed anyway. He believes in the theater as a collective experience to which the public sphere of the audience surrounding him necessarily belongs. Above all he, likes to have an entire world in view, not just a detail. Which is why sometimes his set designs only reveal their beauty from the fourth row on. He has no problem with that, least of all an ideological problem. The spectators in the first rows are definitely not his primary target audience, and when those in the outer seats get a stiff neck, he shrugs his shoulders: it is their own fault that they are so rich.

From Pappelbaum I have learned to use a whole list of words in new ways: neon tubes are "bands". He can call the

abseits vom Getümmel, die sich dann in verblüffenden und erhellenden Gedanken niederschlägt. Er hat im wörtlichen Sinn einen Überblick, der es ihm erlaubt, bei der Beschäftigung mit Bäumen den Wald nicht aus den Augen zu verlieren. Eine Kollegin hat ihn deshalb mal als weise bezeichnet. Für die Schaubühne ist er mit seinen klugen Standpunkten über die Jahre so etwas wie ein Schattendramaturg geworden, dessen Wort bei allen künstlerischen Entscheidungen Gewicht hat. Ich möchte nicht ernsthaft darüber spekulieren, ob Pappelbaum diesen Überblick hat, weil er so groß ist. Vielleicht ist er ja auch so groß geworden, weil sein Körper dem inneren Bedürfnis nach Abstand physisch Rechnung tragen, quasi eine Aussichtsplattform in der Höhe schaffen musste.

Auf jeden Fall führen Pappelbaum und ich, seit wir zusammenarbeiten, ein immer wieder aufgenommenes Gespräch über Nähe und Distanz. Die Positionen sind – stark verknappt – folgende: Ich will im Theater möglichst viel vom Schauspieler haben, weil der leibhaftige Darsteller für mich das Pfund ist, mit dem das Theater im Unterschied zu den anderen Medien wuchern kann. Ich will deshalb möglichst nah am Geschehen sein, am liebsten zwischen den Schauspielern auf der Bühne sitzen, und kann deshalb auch kleinen, intimen Spielstätten, wie zum Beispiel die schon erwähnte Baracke eine war, viel abgewinnen. Pappelbaum sitzt bei Proben gerne hinten. Er verfolgt das Stück aus den letzten Reihen, wo er Abstand hat und den Überblick behält. Er schätzt es, dass man im Theater, anders als beim Film, die Wahl hat, welchem Schauspieler man mit den Blicken folgt, und worauf man sich konzentriert. Ihn stört es auch nicht, die Zuschauer in den Reihen vor sich zu sehen: An die Illusion, die dadurch gestört werden könnte, glaubt er sowieso nicht. Dagegen glaubt er fest ans Theater als kollektiver Erfahrung, zu der zwingend die Öffentlichkeit der ihn umgebenden Zuschauer gehört. Vor allem hat er gern eine ganze Welt im Blick, nicht nur ein Detail. Das führt hin und wieder auch dazu, dass seine Bühnen ihre ganze Schönheit erst ab der vierten Reihe offenbaren. Damit hat er kein Problem, am wenigsten ein ideologisches. Die Zuschauer in der ersten Reihe sind sicher nicht seine primäre Zielgruppe, und wenn sie auf den Außenplätzen Nackenstarre bekommen, zuckt er die Schultern: Selbst schuld, wenn sie so reich sind.

Ich habe die Verwendung einer ganzen Reihe Wörter von Pappelbaum neu gelernt: Neonröhren sind bei ihm „Bänder". Der Boden oder die Decke einer Bühne können bei ihm „Scheibe" heißen. Wenn irgendwo etwas absteht, dann „kragt" es in den Raum. Ich halte diese Begriffe, ohne je gefragt zu haben, für architektonische Fachtermini, die ich Pappelbaums Prägung durch sein Architekturstudium zurechne. Der wichtigste und sprechendste Begriff ist sicherlich der des „Körpers". Der Körper ist bei Pappelbaum das, was andere Bühnenbildner wahrscheinlich schlicht „das Bühnenbild" nennen würden. Der Begriff ist deshalb so treffend, weil seine Bühnenbilder keine hinters Bühnenportal geklebten, aufgeschnittenen Zimmer sind, sondern Installationen, die in den riesigen Sälen der Schaubühne tatsächlich stehen wie unabhängige Organismen. Hier führen keine Papptüren in die Kantine. Pappelbaums Bühnen sind architektonische Objekte, die, nicht erst wenn man sie in Rotation versetzt, ein eigenes Leben zu führen scheinen. Das Bühnenbild zu „Zerbombt" hat Ostermeier mal als abgesprengte Scholle beschrieben, die durchs Weltall treibt. Diese Autonomie erweckt den Eindruck, als hätte sich der Bühnenkörper in den Saal der Schaubühne begeben, wie er sich auch an einem anderen Ort hätte niederlassen können. Wenn das dann bei Gastspielen wirklich geschieht, ist es nicht zuletzt die Autonomie des Körpers, die verhindert, dass die Raumwirkung bei der Verpflanzung verloren geht. Trotzdem ist nicht zu übersehen, dass Pappelbaum seine Bühnen für die Säle der Schaubühne entwirft. Oft ergibt sich sogar eine besonders elegante Korrespondenz, wenn Pappelbaum die Bauhaus-Ästhetik von Erich Mendelsohns Schaubühnen-Bau aufgreift und auf der Bühne fortsetzt. Bei aller Eigenständigkeit erscheinen die Bühnenkörper also in der Regel nicht als Fremdkörper. Es sei denn, der Kontrast ist gewünscht, wie zum Beispiel bei „Goldene Zeiten", wo ein kompletter und ziemlich verrotteter Wohnwagen wie falsch geparkt im Saal steht. Der installative Charakter von Pappelbaums Bühnenkörpern erlaubt dem Zuschauer die Annäherung aus der Distanz. Der Zuschauer wird nicht manipuliert, sondern zum Zeugen, der aus beinahe dokumentarischer Perspektive aufs Objekt selbst die richtigen Schlüsse ziehen kann. Oft drehen sich die Bühnen und bieten verschiedene Perspektiven und Deutungsmöglichkeiten an. Dabei gewinnen sie die Präsenz

floor or the ceiling of the stage a "panel". When something stands out a little then it "butts into" the room. Without ever having asked, I consider these terms to be architectonic jargon that can be attributed to Pappelbaum's formative architecture education. The most important and telling term is certainly the "body". The body for Pappelbaum is what other set designers would probably simply call the "set". The term is so fitting because his sets are not rooms that have been glued behind the proscenium and cut open. Instead they are installations that really do stand in the enormous halls of the Schaubühne like independent organisms. No cardboard doors lead to the canteen here. Pappelbaum's stages are architectonic objects that seem to have their own lives, even before you start rotating them. Ostermeier described the set for "Blasted" as a block that had really been blasted loose and was now floating through space. This autonomy gives the impression that the stage body has entered the hall of the Schaubühne just as well as it could have settled itself in another place. When that really happens on tour, it is not least the autonomy of the body that prevents the effect of the space from being lost during the transplantation. Nevertheless, you cannot help noticing that Pappelbaum designs his sets for the halls of the Schaubühne. Often there is even a particularly elegant correspondence when Pappelbaum takes up the Bauhaus aesthetic of Erich Mendelsohn's Schaubühne building and carries it forward onto the stage. As independent as the set bodies are, they generally do not appear to be foreign bodies, unless contrast is desired as in "Better Days", where a complete and fairly run-down mobile home seems to have been mistakenly parked in the theater. The installation character of Pappelbaum's stage bodies allows the spectator to approach from a distance. The spectator is not manipulated, but rather becomes a witness who, having an almost documentary perspective on the object, can draw correct conclusions on her own. Often the sets turn and offer different perspectives and possible interpretations. They achieve the presence of exhibited pieces in a museum. If they did not rotate, you would want to walk around them like a sculpture.

The actors moving around on the body also profit from this presence. Papplebaum did not only study architecture but also led a student theater group and directed himself. He knows that in the theater nothing is as interesting as the actor. His stage bodies therefore do not compete with the bodies of the actors, but rather lift them up. For a space like the one for "Hedda Gabler" there is literally no position without presence. Even when the actors are behind a concrete wall, we see them in the mirrors overhead: another astonishing change of perspective.

From this subservient position, Pappelbaum's sets develop their beauty. They do not only look like they had been designed by a Bauhaus architect, they also follow the Bauhaus principle that the form of an object follows the function. Given the distances with which a set design must contend at the Schaubühne, presence cannot come from the physical proximity to the actors. But what Pappelbaum achieves is proximity to the action. If you had to formulate this achievement in words, you would have to call it "closeness through distance". You can see this paradox clearly in the set for "Mourning Becomes Electra". There the scenes that occur behind tinted glass, and are therefore actually distanced from the audience, seem to be enlarged in presence, as if you were looking at them through a lens. As a spectator you want to recognize something and look even more closely. Pappelbaum puts this desire to see to use. His set designs create a maelstrom of content. They do not show a cell, but rather the entire organism; not only the individual, but the individuals in their relationships to each other. We always experience the figures in a context, which expands our view from the private into the social. The relationship of the actor to the audience is thematized just as is the relationship of the world on stage to the world outside the theater.

Pappelbaum studies this world outside the theater with loving meticulousness. Every one of his sets lives off his obsessive interest in the spaces that people actually design according to principles that are not necessarily artistic. Architecture fascinates him not only on aesthetic grounds, but above all as the

von Ausstellungsstücken im Museum. Wenn sie sich nicht drehen würden, würde man um sie herumgehen wollen wie um eine Skulptur. Von dieser Präsenz profitieren dann auch die Schauspieler, die sich auf dem Körper bewegen. Pappelbaum hat sich als Student nicht nur mit Architektur beschäftigt, sondern auch eine Studentenbühne geleitet und selbst inszeniert. Er weiß, dass im Theater nichts so interessant ist wie der Schauspieler. Deshalb konkurrieren seine Bühnenkörper nicht mit den Körpern der Schauspieler, sondern heben sie. Bei einem Raum wie dem für „Hedda Gabler" gibt es buchstäblich keine unpräsente Position. Selbst wenn die Darsteller hinter einer Betonwand agieren, sehen wir sie im darüber aufgehängten Spiegel: ein weiterer verblüffender Perspektivwechsel.

Aus dieser dienenden Funktion heraus entfalten Pappelbaums Bühnen ihre Schönheit. Sie sehen nicht nur aus, als hätte sie ein Bauhaus-Architekt entworfen, sondern folgen auch dem Bauhaus-Prinzip, dass die Funktion die Form eines Objekts bestimmt. Die Präsenz kann bei den Entfernungen, mit denen ein Bühnenbildner in der Schaubühne umzugehen hat, nicht aus der physischen Nähe zum Darsteller entstehen. Aber was Pappelbaum glückt, ist die Nähe zum Dargestellten. Wenn man dieses Glücken auf eine Formel bringen wollte, dann müsste sie heißen: Nähe durch Distanz. Beim Bühnenbild für „Trauer muss Elektra tragen" lässt sich dieses Paradox sehr gut beobachten: Szenen, die hinter den getönten Glasscheiben spielen und dadurch eigentlich vom Zuschauer weggerückt sind, wirken in ihrer Präsenz vergrößert, als sähe man sie durch eine Linse. Man möchte als Zuschauer etwas erkennen und sieht deshalb genauer hin. Diesen Erkenntniswunsch macht sich Pappelbaum zunutze. Seine Bühnen entwickeln einen inhaltlichen Sog. Sie zeigen nicht die Zelle, sondern den ganzen Organismus, nicht nur das Individuum sondern Individuen in ihren Beziehungen zueinander. Wir erleben die Figuren immer in einem Kontext, der den Blick vom Privaten ins Gesellschaftliche weitet. Das Verhältnis von Schauspieler und Zuschauer wird ebenso zum Thema wie das Verhältnis der Bühnenwelt zur Welt außerhalb des Theaters.

Diese Welt außerhalb der Bühnenwelt studiert Pappelbaum mit liebevoller Akribie. Jede seiner Bühnen lebt von diesem obsessiven Interesse für die Räume, die sich Menschen in der Wirklichkeit nach Prämissen gestalten, die nicht unbedingt künstlerische sein müssen. Architektur fasziniert ihn nicht nur aus ästhetischen Gründen, sondern vor allem als Ausdruck einer sozialen Realität. Wann immer er eine Produktion auf Gastspielen begleitet, zieht er alleine mit seiner Digitalkamera los und begibt sich auf Feldforschung. Dabei hat er eine ganz eigene Technik entwickelt, die man vielleicht als „30-Sekunden-Foto" bezeichnen könnte. Das sind kurze Filme, die Pappelbaum mit seiner Fotokamera macht, deren Filmspeicher genau für 30 Sekunden reicht. Die Auflösung ist ziemlich pixelig, was aber der Lakonie der Aufnahmen entspricht. Wie beim Foto bleibt die Kamera unbewegt aufs Motiv gerichtet und nimmt alles auf, was sich in den 30 Sekunden vor der Linse bewegt. Meistens sind das Menschen, manchmal Tiere, es kann auch ein liegen gebliebener Zettel sein, den der Wind durchs Bild schiebt. Diese bewegten Dias montiert Pappelbaum später zu Filmen zusammen. Den ersten, den ich gesehen habe, hat Pappelbaum in Barcelona gedreht. Bezeichnenderweise in Mies van der Rohes Weltausstellungspavillon. Es ist ein Film über Menschen in Architektur: Touristen, die ihren Fuß aus den Flipflops ziehen, um die Wassertemperatur im Brunnen zu testen, Familien, die für Fotos posieren, eine Putzfrau, die einen Ledersessel schrubbt, zwei Damen, die sich im Schatten auf eine Steinbank gesetzt haben und feststellen, dass unter der Bank eine Katze sitzt. Besonders gefallen mir die erste und die letzte Einstellung dieses Films, und auch hier ermöglicht erst die Distanz zum Objekt die Nähe zu ihm: Die erste Einstellung zeigt den Pavillon in der Entfernung. Die Kamera steht auf einem steinernen Steg, der übers Wasser ans Gebäude heranführt. Es ist früh am Morgen, der Pavillon hat noch nicht geöffnet. Hinter den Glasscheiben bewegt sich jemand, er schließt die Tür auf und tritt heraus. Es ist eine Art Hausmeister, der sofort die Kamera bemerkt. Das ist kein Wunder, denn hinter der Kamera steht ein Zweimetermann. Der Hausmeister kommt mit resolutem Schritt auf uns zu und gestikuliert. Offenbar will er nicht, dass fotografiert wird. Er nähert sich, man hört ihn meutern. Ehe er uns, beziehungsweise Pappelbaum, erreicht, sind die 30 Sekunden um, und die Einstellung bricht ab. Zwischen Pappelbaums Kamera und dem Pavillon liegt also eine Distanz von 30 Sekunden: Die 30 Sekunden, die der Hausmeister braucht, um die Distanz zu überwinden. Und

expression of a social reality. Whenever he accompanies a production on tour, he goes off alone to do field research with his digital camera. He has developed his own technique, which you could call the "30-second photo". Those are short films that Pappelbaum shoots with his camera that has exactly enough memory for 30 seconds. The resolution, which is relatively grainy, which fits the laconic recordings. As with a snapshot, the camera remains pointed at the motif and records everything that passes in front of the lens during the 30 seconds. Usually that is people, sometimes animals, but it can also be a lost piece of paper that the wind blows through the picture. Later Pappelbaum assembles these moving slides into films. The first one I saw was one Pappelbaum had filmed in Barcelona. Significantly it was in Mies van der Rohe's World Fair pavilion. It is a film about people in architecture: the tourists who slip their feet out of their flip-flops to test the water temperature in the fountain; families who pose for pictures; a cleaning woman who scrubs a leather chair; two women sitting on a stone bench who discover a cat sitting under it. I especially like the first and last images of the film. Here as well, the distance from the object makes proximity to it possible. The first image shows the pavilion in the distance. The camera stands on a stone bridge that leads across the water to the building. It is early morning and the pavilion is not yet open. Behind the glass panes a person moves. He opens the door and comes out. He is some kind of caretaker and he notices the camera immediately. No wonder, because the man behind the camera is two meters tall. The caretaker walks toward us resolutely and gestures. He obviously does not want to be filmed. He gets closer. You hear him complaining. Before he reaches us, or rather Pappelbaum, the 30 seconds are up and the image breaks off. Between Pappelbaum's camera and the pavilion there is a distance of 30 seconds: the 30 seconds that the caretaker needs to cross the distance. And exactly that long is what we have to get to know him and his concerns. Every second less would be a loss. The last image of the film shows a couple sitting near the water beside the pavilion. They think they are not being watched. At least the man does not think so and uses the physical proximity – he is in her lap – to heartily and constantly touch her breasts. She does not like that and shakes him off and complains. Then she looks around to see if anybody noticed the attack. She looks directly over her shoulder into the camera. But this time the two-meter man is at a safer distance. He is not discovered. The woman is reassured and rewards her lover with a passionate kiss for his impertinence. If we, as spectators, had been sitting near the water with the couple nothing would have happened. The man would have been too shy, despite his lustful drive, and we would have known nothing of his passion and also nothing of the ambivalence of the woman. And even if they both had ignored us, the woman's glance over her shoulder would have escaped us. We would not have been able to take up the role that this glance attributes to us. The tension between private and public would not have arisen.

Under Pappelbaum's scrutiny, architecture becomes a stage set for the reoccuring dramas of the people inhabiting it. And just as with his sets, the observed reality in film retains its own sometimes puzzling beauty. In Tokyo once, after a night of drinking, he waited at an intersection until morning, while the rest of us were long in bed. He wanted to capture the crows that circle between the skyscrapers in the morning and make the city at dawn into an uncanny apocalyptic landscape. In the finished film he then lets a breathless vibrating city awaken from the landscape that changes its appearance at 30-second intervals. Pappelbaum's films are certainly more than just research material for his new sets. They are the attempt to read cities as if they were the urban self-portraits of their inhabitants. With his gaze, he subtly and effortlessly extracts these portraits from reality. It is a pleasure to share this with him.

genau so lange haben wir Zeit, ihn und sein Anliegen an uns kennen zu lernen. Jede Sekunde weniger wäre ein Verlust. Die letzte Einstellung des Films zeigt ein Liebespaar, das sich neben dem Pavillon am Wasser niedergelassen hat und sich in dieser gemeinsamen Idylle unbeobachtet wähnt. Zumindest der Mann tut das und nutzt die körperliche Nähe – er liegt auf dem Schoß der Frau – um ihr beherzt und beharrlich an die Brust zu greifen. Ihr ist das nicht recht, sie schüttelt ihn ab und schimpft. Dann schaut sie sich um, ob jemand den Übergriff bemerkt hat. Dabei guckt sie über ihre Schulter direkt in die Kamera. Aber anscheinend ist der Zweimetermann diesmal in sicherer Distanz, er wird nicht entdeckt, die Frau ist beruhigt und belohnt ihren Liebhaber für seine Frechheit mit einem innigen Kuss. Säßen wir als Zuschauer mit dem Liebespaar am Wasser, dann wäre nichts passiert. Der Mann hätte sich trotz angeregter Triebe geniert, und wir hätten nichts von seiner Leidenschaft mitgekriegt und auch nichts von der Ambivalenz der Frau. Und selbst wenn uns die beiden ignoriert hätten, wäre uns der Blick der Frau über die Schulter entgangen, wir hätten die Rolle, die uns dieser Blick zuweist, nicht annehmen können, die Spannung zwischen Privatem und Öffentlichem hätte sich nicht eingestellt.

Unter Pappelbaums Blick wird Architektur zum Bühnenbild für die sich ständig vollziehenden Dramen der Menschen, die sich in ihr aufhalten. Und wie seine Bühnen behält auch die von ihm beobachtete Wirklichkeit im Film eine eigenständige, manchmal rätselhafte Schönheit. In Tokio hat er einmal nach einer durchzechten Nacht bis in den Morgen an einer Kreuzung ausgeharrt, während wir anderen schon lange schliefen. Er wollte noch die Krähen einfangen, die morgens zwischen den Wolkenkratzern kreisen und die Stadt in der Dämmerung zu einer unheimlichen, apokalyptischen Landschaft machen. Aus dieser Landschaft lässt er dann im fertig montierten Film eine atemlos vibrierende Stadt erwachen, die im 30-Sekundentakt ihr Gesicht verändert. Pappelbaums Filme sind mit Sicherheit mehr als nur Recherchematerial für neue Bühnenbilder. Sie sind der Versuch, Städte so zu lesen, als wären sie die urbanen Selbstporträts ihrer Bewohner. Ganz unauffällig und wie nebenbei trennt er diese Porträts mit seinem Blick aus der Wirklichkeit. Und es ist ein großes Vergnügen, diesen Blick zu teilen.

EINGANG

Inszenierungen / Productions

| 1994 |

HOT. SOMMER 76. LENZ | nach Jakob Michael Reinhold Lenz und Georg Büchner | Kunstfest Weimar | Weimar 1994 | Regie Tom Kühnel, Thomas Ostermeier, Robert Schuster, Christian von Treskow

KÖNIG UBU | Alfred Jarry | bat-Studiotheater | Berlin 1994 | Regie Claudia Bauer

TROMMELN IN DER NACHT | Bertolt Brecht | bat-Studiotheater / Schokoladen | Berlin 1994 | Regie Thomas Ostermeier

| 1995 |

DIE UNBEKANNTE / EINE GEWISSE ANZAHL GESPRÄCHE | Aleksandr Blok / Aleksandr Vvedenskij | bat-Studiotheater | Berlin 1995 | Regie Thomas Ostermeier / Christian von Treskow

WEIHNACHTEN BEI IVANOWS | Aleksandr Vvedenskij | Maxim Gorki Theater | Berlin 1995, Regie Tom Kühnel, Robert Schuster

| 1996 |

STELLA ODER DER LETZTE TAG DER MISS SARA SAMPSON | nach Johann Wolfgang von Goethe und Gotthold Ephraim Lessing | Maxim Gorki Theater | Berlin 1996 | Regie Tom Kühnel, Robert Schuster

DER BARON AUF DEN BÄUMEN | Italo Calvino | Hans Otto Theater | Potsdam 1996 | Regie Roland Bertschi | Co-Bühnenbild mit Volker Thiele

YVONNE, DIE BURGUNDERPRINZESSIN | Witold Gombrowicz | TIF, Staatsschauspiel Dresden | Dresden 1996 | Regie Andrea Moses

NIEDER MIT GOETHE! | Hans Magnus Enzensberger | Kunstfest Weimar | Weimar 1996 | Regie Andreas Missler-Morell

ANTIGONE | Sophokles | bat-Studiotheater | Berlin 1996 | Regie Tom Kühnel, Robert Schuster

WARTEN AUF GODOT | Samuel Beckett | Schauspiel Frankfurt | Frankfurt a.M. 1996 | Regie Tom Kühnel, Robert Schuster

| 1997 |

DER DRACHE | Jewgeni Schwarz | Maxim Gorki Theater | Berlin 1997 | Regie Tom Kühnel, Robert Schuster

SCHMÜRZ ODER DIE REICHSGRÜNDER | Boris Vian | TIF, Staatsschauspiel Dresden | Dresden 1997 | Regie Andrea Moses

ALLES WIRD GUT | Matthias Altenburg | Theater Bremen | Bremen 1997 | Regie Tom Kühnel, Robert Schuster

MANN IST MANN | Bertolt Brecht | Baracke am Deutschen Theater Berlin | Berlin 1997 | Regie Thomas Ostermeier

ALICE IM WUNDERLAND | Lewis Carroll | Schauspiel Frankfurt | Frankfurt a.M. 1997 | Regie Tom Kühnel, Robert Schuster

PEER GYNT | Henrik Ibsen | Schauspiel Frankfurt | Frankfurt a.M. 1997 | Regie Tom Kühnel, Robert Schuster

| 1998 |

TITUS ANDRONICUS | William Shakespeare | Schauspiel Frankfurt | Frankfurt a.M. 1998 | Regie Tom Kühnel, Robert Schuster

DAS VERLORENE WORT | Gion Mathias Cavelty | Schauspiel Frankfurt | Frankfurt a.M. 1998 | Regie Christian Tschirner, Paul Viebeg

| 1999 |

DER BLAUE VOGEL | Maurice Maeterlinck | Deutsches Theater Berlin | Berlin 1999 | Regie Thomas Ostermeier

FAUST 1 | Johann Wolfgang von Goethe | Schauspiel Frankfurt | Frankfurt a.M. 1999 | Regie Tom Kühnel, Robert Schuster

FAUST 2 | Johann Wolfgang von Goethe | Schauspiel Frankfurt | Frankfurt a.M. 1999 | Regie Tom Kühnel, Robert Schuster, William Forsythe

DEUTSCH FÜR AUSLÄNDER | Soeren Voima | TAT | Frankfurt a.M. 1999 | Regie Tom Kühnel, Robert Schuster

| 1999/2000 |

DAS WELTTHEATER | Albert Ostermaier, Marius von Mayenburg, Roland Schimmelpfennig, Soeren Voima | TAT | Frankfurt a.M. 1999 – 2000 | Regie Tom Kühnel, Robert Schuster

| 2000 |

PERSONENKREIS 3.1 | Lars Norén | Schaubühne am Lehniner Platz | Berlin 2000 | Regie Thomas Ostermeier

DAS KONTINGENT | Soeren Voima | Schaubühne am Lehniner Platz / TAT | Berlin / Frankfurt a.M. 2000 | Regie Tom Kühnel, Robert Schuster

DIE MÖWE | Anton Tschechow | TAT | Frankfurt a.M. 2000 | Regie Frank-Patrick Steckel

CLAVIGO | Johann Wolfgang von Goethe | Linnateater | Tallin/Estland 2000 | Regie Andrea Moses

EUROPA | Sophokles, Euripides, Soeren Voima | TAT | Frankfurt a.M. 2000 | Regie Robert Schuster

| 2001 |

DANTONS TOD | Georg Büchner | Schaubühne am Lehniner Platz | Berlin 2001 | Regie Thomas Ostermeier

DER RING DES NIBELUNGEN | Richard Wagner | TAT | Frankfurt a.M. 2001 | Regie Tom Kühnel | Co-Bühnenbild mit Rufus Didwiszus

DIE ARABISCHE NACHT | Roland Schimmelpfennig | Schaubühne am Lehniner Platz / TAT |

Berlin / Frankfurt a.M 2001 | Regie Tom Kühnel

SUPERMARKET | Biljana Srbljanović | Wiener Festwochen / Schaubühne am Lehniner Platz | Wien / Berlin 2001| Regie Thomas Ostermeier

DIE HEILIGE JOHANNA DER SCHLACHTHÖFE | Bertolt Brecht | TAT / Schaubühne am Lehniner Platz | Frankfurt a.M. / Berlin 2001 | Regie Tom Kühnel

| 2002 |

GOLDENE ZEITEN (BETTER DAYS) | Richard Dresser | Schaubühne am Lehniner Platz | Berlin 2002 | Regie Thomas Ostermeier

DER SELBSTMÖRDER | Nikolaj Erdmann | TAT | Frankfurt a.M. 2002 | Regie Tom Kühnel

NORA | Henrik Ibsen | Schaubühne am Lehniner Platz | Berlin 2002 | Regie Thomas Ostermeier

| 2003 |

WUNSCHKONZERT | Franz Xaver Kroetz | Schaubühne am Lehniner Platz | Berlin 2003 | Regie Thomas Ostermeier

DIE KOPIEN (A NUMBER) | Caryl Churchill | Schaubühne am Lehniner Platz | Berlin 2003 | Regie James Macdonald

WOYZECK | Georg Büchner | Schaubühne am Lehniner Platz | Berlin 2003 | Regie Thomas Ostermeier

KAP DER UNRUHE | Alfred Matusche | SUPERUMBAU | Hoyerswerda 2003 | Regie Andrea Moses

SUBURBAN MOTEL | George F. Walker | Küchenstudio an der Schaubühne am Lehniner Platz | Berlin 2003 | Regie Armin Petras, Enrico Stolzenburg, Thomas Ostermeier

DER WÜRGEENGEL | Karst Woudstra | Schaubühne am Lehniner Platz | Berlin 2003 | Regie Thomas Ostermeier

| 2004 |

DAS SYSTEM I – IV | Schaubühne am Lehniner Platz | Berlin 2004 |
ELECTRONIC CITY | Falk Richter | Regie Tom Kühnel
UNTER EIS | Falk Richter | Regie Falk Richter
WEINIGER NOTFÄLLE (AMOK) | Martin Crimp | Regie Falk Richter
HOTEL PALESTINE | Falk Richter, Marcel Luxinger | Regie Falk Richter

LULU | Frank Wedekind | Schaubühne am Lehniner Platz | Berlin 2004 | Regie Thomas Ostermeier

BAUMEISTER SOLNESS | Henrik Ibsen | Wiener Festwochen / Akademietheater, Burg Wien | Wien 2004 | Regie Thomas Ostermeier

ELDORADO | Marius von Mayenburg | Schaubühne am Lehniner Platz | Berlin 2004 | Regie Thomas Ostermeier

| 2005 |

ZERBOMBT (BLASTED) | Sarah Kane | Schaubühne am Lehniner Platz | Berlin 2005 | Regie Thomas Ostermeier

DIE DUMMHEIT | Rafael Spregelburd | Schaubühne am Lehniner Platz | Berlin 2005 | Regie Tom Kühnel

HEDDA GABLER | Henrik Ibsen | Schaubühne am Lehniner Platz | Berlin 2005 | Regie Thomas Ostermeier

| 2005/06 |

STUDIO I – IV | Schaubühne am Lehniner Platz | Berlin | Co-Ausstattungen mit Magda Willi
DISTANZ | Lars Norén | Regie Enrico Stolzenburg | 2005
BLACKBIRD | David Harrower | Regie Benedict Andrews | 2005
AUGENLICHT | Marius von Mayenburg | Regie Ingo Berk | 2006
AUGUSTA | Richard Dresser | Regie Rafael Sanchez | 2006

| 2006 |

TRAUER MUSS ELEKTRA TRAGEN (MOURNING BECOMES ELECTRA) | Eugen O'Neill | Schaubühne am Lehniner Platz | Berlin 2006 | Regie Thomas Ostermeier

EIN SOMMERNACHTSTRAUM | Frei nach William Shakespeare | Hellenic Festival Athen / Schaubühne am Lehniner Platz | Athen / Berlin 2006 | Regie / Choreografie Thomas Ostermeier, Constanza Macras

FOTONACHWEIS / CREDITS

Schmutztitel Collage Jan Pappelbaum
Seite 9 Foto Jan Pappelbaum
Seite 10/11 Foto links Jan Pappelbaum, rechts Arno Declair
Seite 12/13 Foto links Arno Declair, rechts Torsten Seidel
Seite 14/15 Foto links Jan Pappelbaum, rechts Arno Declair
Seite 31 Zeichnung Jan Pappelbaum
Seite 32 Foto Jan Pappelbaum
Seite 34 **HOT. SOMMER 76. LENZ** | Kunstfest Weimar | 1994 | Regie Tom Kühnel, Thomas Ostermeier, Robert Schuster, Christian von Treskow | Fotos Harald Wenzel-Orff
Seite 35 **KÖNIG UBU** | bat-Studiotheater | 1994 | Regie Claudia Bauer | Modellfoto Jan Pappelbaum, Foto Jan Pappelbaum
Seite 36/37 **TROMMELN IN DER NACHT** | bat-Studiotheater / Schokoladen | 1994 | Regie Thomas Ostermeier | Foto links Jan Pappelbaum, rechts Roger Melis
Seite 38/39 **DIE UNBEKANNTE / EINE GEWISSE ANZAHL GESPRÄCHE** | bat-Studiotheater | 1995 | Regie Ostermeier/ Christian von Treskow | Fotos Jan Pappelbaum
Seite 40/41 **WEIHNACHTEN BEI IVANOWS** | Maxim Gorki Theater | 1995 | Regie Tom Kühnel, Robert Schuster | Fotos Wilfried Böing, Modellfoto Jan Pappelbaum
Seite 42 **STELLA ODER DER LETZTE TAG DER MISS SARA SAMPSON** | Maxim Gorki Theater | 1996 | Regie Tom Kühnel, Robert Schuster | Modellfoto Jan Pappelbaum, Foto Sebastian Hoppe
Seite 43 **NIEDER MIT GOETHE!** | Kunstfest Weimar | 1996 | Regie Andreas Missler-Morell | Foto Philipp Wiegandt, Modellfoto Jan Pappelbaum
Seite 44/45 **DER BARON AUF DEN BÄUMEN** | Hans Otto Theater | 1996 | Regie Roland Bertschi | Foto links und Mitte Thomas Maximilian Jauk, rechts Jan Pappelbaum
Seite 46/47 **YVONNE, DIE BURGUNDERPRINZESSIN** | TIF, Staatsschauspiel Dresden | 1996 | Regie Andrea Moses | Foto links HL Böhme, rechts Jan Pappelbaum
Seite 51 – 53 **ANTIGIONE** | bat-Studiotheater | 1996 | Regie Tom Kühnel, Robert Schuster | Fotos Jan Pappelbaum
Seite 54 **WARTEN AUF GODOT** | Schauspiel Frankfurt | 1996 | Regie Tom Kühnel, Robert Schuster | Foto links Jan Pappelbaum, rechts Mara Eggert
Seite 55 **SCHMÜRZ ODER DIE REICHSGRÜNDER** | TIF, Staatsschauspiel Dresden | 1997 | Regie Andrea Moses | Modellfoto und Fotos Jan Pappelbaum
Seite 56/57 **ALLES WIRD GUT** | Theater Bremen | 1997 | Regie Tom Kühnel, Robert Schuster | Fotos Jan Pappelbaum
Seite 58 – 61 Die Baracke am Deutschen Theater Berlin | 1996 | 1. Doppelseite: Fotos Wolfhard Theile | 2. Doppelseite: Fotos Jan Pappelbaum
Seite 62 – 65 **MANN IST MANN** | Baracke am Deutschen Theater Berlin | 1997 | Regie Thomas Ostermeier | 1. Doppelseite: Foto David Baltzer, Modellfotos Jan Pappelbaum | 2. Doppelseite: Fotos Jan Pappelbaum
Seite 66/67 **PEER GYNT** | Schauspiel Frankfurt | 1997 | Regie Tom Kühnel, Robert Schuster | Modellfotos Jan Pappelbaum, Foto Mara Eggert
Seite 68/71 **DER BLAUE VOGEL** | Deutsches Theater Berlin | 1999 | Regie Thomas Ostermeier | Fotos David Baltzer
Seite 74 – 77 **FAUST 1** | Schauspiel Frankfurt | 1999 | Regie Tom Kühnel, Robert Schuster | Fotos Mara Eggert, Modellfotos Jan Pappelbaum
Seite 78/79 **FAUST 2** | Schauspiel Frankfurt | 1999 | Regie Tom Kühnel, Robert Schuster, William Forsythe | Zeichnungen Jan Pappelbaum
Seite 80/81 **DEUTSCH FÜR AUSLÄNDER** | TAT | 1999 | Regie Tom Kühnel, Robert Schuster | Fotos Jan Pappelbaum
Seite 82/83 **DAS WELTTHEATER** | TAT | 1999 – 2000 | Regie Tom Kühnel, Robert Schuster | Foto Arno Declair, Modellfotos Jan Pappelbaum
Seite 84/89 **PERSONENKREIS 3.1** | Schaubühne am Lehniner Platz | 2000 | Regie Thomas Ostermeier | 1. Doppelseite: Foto Jan Pappelbaum | 2. Doppelseite: Modellfoto Jan Pappelbaum, Foto Arno Declair | 3. Doppelseite: Fotos links oben und rechts Arno Declair, links unten Jan Pappelbaum
Seite 90/95 **DAS KONTINGENT** | Schaubühne am Lehniner Platz / TAT | 2000 | Regie Tom Kühnel, Robert Schuster | 1. Doppelseite: Modellfotos Jan Pappelbaum | 2. Doppelseite: Foto links Arno Declair, rechts Jan Pappelbaum | 3. Doppelseite: Foto links Arno Declair, Fotos Gastspiel UN-Gebäude New York Jan Pappelbaum
Seite 96/97 **DIE MÖWE** | TAT | 2000 | Regie Frank-Patrick Steckel | Fotos Jan Pappelbaum
Seite 102/103 **CLAVIGO** | Linnateater Tallin | 2000 | Regie Andrea Moses | Fotos Theater
Seite 104/105 **EUROPA** | TAT | 2000 | Regie Tom Kühnel, Robert Schuster | Foto Volker Metzler, Modellfotos Jan Pappelbaum
Seite 106/107 **DANTONS TOD** | Schaubühne am Lehniner Platz | 2001 | Regie Thomas Ostermeier | Modellfotos Jan Pappelbaum, Foto Gastspiel Avignon Jan Pappelbaum
Seite 108 – 111 **DER RING DES NIBELUNGEN** | TAT | 2001 | Regie Tom Kühnel, Robert Schuster | 1. Doppelseite: Fotos Arno Declair | 2. Doppelseite: Modellfotos Jan Pappelbaum, Fotos Arno Declair
Seite 116/117 **DIE ARABISCHE NACHT** | Schaubühne am Lehniner Platz / TAT | 2001 | Regie Tom Kühnel | Modellfoto und Foto rechts unten Jan Pappelbaum, rechts oben Arno Declair
Seite 118/119 **SUPERMARKET** | Schaubühne am Lehniner Platz / Wiener Festwochen | 2001 | Regie Thomas Ostermeier | Modellfotos Jan Pappelbaum, rechts Arno Declair
Seite 120 – 127 **DIE HEILIGE JOHANNA DER SCHLACHTHÖFE** | Schaubühne am Lehniner Platz / TAT | 2001 | Regie Tom Kühnel | 1. Doppelseite: Zeichnungen Jan Pappelbaum | 2. Doppelseite: Modellfotos und Zeichnungen Jan Pappelbaum | 3. Doppelseite: Fotos links Jan Pappelbaum, rechts Arno Declair | 4. Doppelseite: Foto Arno Declair
Seite 128 – 133 **GOLDENE ZEITEN** | Schaubühne am Lehniner Platz | 2002 | Regie Thomas Ostermeier | 1. Doppelseite: Foto rechts Arno Declair, Recherchefotos Jan Pappelbaum | 2. Doppelseite: Fotos links Jan Pappelbaum, rechts Arno Declair | 3. Doppelseite: Fotos Arno Declair
Seite 134/137 **DER SELBSTMÖRDER** | TAT | 2002 | Regie Tom Kühnel | 1. Doppelseite: Fotos Arno Declair | 2. Doppelseite: Foto Arno Declair, Modellfotos und Zeichnungen Jan Pappelbaum
Seite 144 – 151 **NORA** | Schaubühne am Lehniner Platz | 2002 | Regie Thomas Ostermeier | 1. Doppelseite: Foto links Torsten Seidel, Recherchefotos Jan Pappelbaum | 2. Doppelseite: Modellfotos und Fotos Jan Pappelbaum | 3. Doppelseite: Fotos Torsten Seidel | 4. Doppelseite: Fotos Arno Declair
Seite 152/153 **WUNSCHKONZERT** | Schaubühne am Lehniner Platz | 2003 | Regie Thomas Ostermeier | Fotos links und rechts unten Arno Declair, rechts oben Jan Pappelbaum
Seite 154/155 **DIE KOPIEN** | Schaubühne am Lehniner Platz | 2003 | Regie James Macdonald | Foto links und Modellfotos Jan Pappelbaum, rechts Arno Declair
Seite 166 – 175 **WOYZECK** | Schaubühne am Lehniner Platz | 2003 | Regie Thomas Ostermeier | 1. Doppelseite: Fotos Jan Pappelbaum | 2. Doppelseite: Recherchefotos Jan Pappelbaum | 3. Doppelseite: Foto Arno Declair, Modellfotos Jan Pappelbaum | 4. Doppelseite: Fotos links und rechts oben Jan Pappelbaum, rechts unten Arno Declair | 5. Doppelseite: Fotos Gastspiel Avignon und WOYZECK-Kiosk vor der Schaubühne Jan Pappelbaum
Seite 179 Installation Irrgarten | **SUPERUMBAU** Hoyerswerda | 2003 | Jan Pappelbaum | Fotos Jan Pappelbaum
Seite 180 – 183 **KAP DER UNRUHE | SUPERUMBAU** Hoyerswerda | 2003 | Regie Andrea Moses | Fotos Jan Pappelbaum
Seite 184/185 **SUBURBAN MOTEL** | Küchenstudio an der Schaubühne am Lehniner Platz | 2003 | Regie Armin Petras, Enrico Stolzenburg, Thomas Ostermeier | Fotos links Gastspiel TAT Jan Pappelbaum, rechts oben Holger Foullois / Drama, Recherchefoto und rechts Mitte und unten Jan Pappelbaum
Seite 186/187 **DER WÜRGEENGEL** | Schaubühne am Lehniner Platz | 2003 | Regie Thomas Ostermeier | Fotos und Modellfotos Jan Pappelbaum
Seite 191 – 199 **DAS SYSTEM I – IV** | Schaubühne am Lehniner Platz | 2004 | Regie Tom Kühnel, Falk Richter | 1. Seite und 1. Doppelseite: Recherchefotos Jan Pappelbaum | 2. Doppelseite: Fotos ELECTRONIC CITY links oben Jan Pappelbaum, links unten und rechts Arno Declair | 3. Doppelseite: Fotos UNTER EIS links, rechts oben und unten Arno Declair, Mitte unten Jan Pappelbaum | 4. Doppelseite: Fotos WENIGER NOTFÄLLE (AMOK) links unten Arno Declair, HOTEL PALESTINE oben und unten rechts Arno Declair, unten Mitte Jan Pappelbaum
Seite 200 – 205 **BAUMEISTER SOLNESS** | Wiener Festwochen / Akademietheater, Burg Wien | 2004 | Regie Thomas Ostermeier | 1. Doppelseite: Zeichnungen und Modellfotos Jan Pappelbaum | 2. Doppelseite: Foto Arno Declair | 3. Doppelseite: Foto links Arno Declair, Recherchefotos Jan Pappelbaum
Seite 206/207 **ELDORADO** | Schaubühne am Lehniner Platz | 2004 | Regie Thomas Ostermeier | Fotos und Modellfoto Jan Pappelbaum
Seite 208 – 211 **ZERBOMBT** | Schaubühne am Lehniner Platz | 2005 | Regie Thomas Ostermeier | Fotos Arno Declair
Seite 212/213 **DIE DUMMHEIT** | Schaubühne am Lehniner Platz | 2005 | Regie Tom Kühnel | Fotos links und rechts unten Jan Pappelbaum, rechts oben Arno Declair
Seite 214 – 221 **HEDDA GABLER** | Schaubühne am Lehniner Platz | 2005 | Regie Thomas Ostermeier | 1. Doppelseite: Foto Torsten Seidel | 2. Doppelseite: Modell- und Recherchefotos Jan Pappelbaum, rechts Torsten Seidel | 3. und 4. Doppelseite: Fotos Arno Declair
Seite 222 – 223 **TRAUER MUSS ELEKTRA TRAGEN** | Schaubühne am Lehniner Platz | 2006 | Regie Thomas Ostermeier | Foto links Jan Pappelbaum, rechts Arno Declair
Seite 230 – 233 **STUDIO I – IV** | Schaubühne am Lehniner Platz | 2005/06 | Regie Enrico Stolzenburg, Benedict Andrews, Ingo Berk, Rafael Sanchez | 1. Doppelseite: Modellfotos Jan Pappelbaum, Fotos Mitte oben BLACKBIRD, Mitte Mitte AUGUSTA, Mitte unten AUGENLICHT und rechts DISTANZ Magda Willi | 2. Doppelseite: Foto links BLACKBIRD Matthias Horn, rechts oben AUGUSTA und unten BLACKBIRD Magda Willi
Seite 234 – 239 **SOMMERNACHTSTRAUM** | Hellenic Festival Athen / Schaubühne am Lehniner Platz | 2006 | Regie / Choreografie Thomas Ostermeier, Constanza Macras | 1. Doppelseite: Recherchefotos Jan Pappelbaum | 2. Doppelseite: Fotos links Jan Pappelbaum, rechts Arno Declair | 3. Doppelseite: Fotos Jan Pappelbaum

Jan Pappelbaum, born in Dresden in 1966, grows up in Leipzig (grows up to be 2.07 meters, in fact). He is introduced early to the theater by his parents – both of whom are actors. Nevertheless, after graduating from high school and completing an apprenticeship as a brick layer, he decides in 1988 to study architecture. Alongside his studies in Weimar, he directs plays at the student theater "artfremd," which he helped found and which he also led. It is a time that brings more that just his first work experience in the theater, but also a way of life and a purpose in life. Pappelbaum becomes the assistant of set designer Dieter Klaß – among other things for the Art Festival in Weimar, where he meets directing students Thomas Ostermeier, Tom Kühnel and Robert Schuster. The working connections based on this still exist today for the most part. From then on, Pappelbaum designs the sets for the productions of Thomas Kühnel and Robert Schuster at the Maxim Gorki Theater in Berlin, at the Schauspiel Frankfurt, and the Theater am Turm, where he is also in charge of stage management. For Thomas Ostermeier he designs the Barracks at the Deutsches Theater, takes charge of stage management at the Schaubühne at Lehniner Platz, and becomes Thomas Ostermeier's most important and influential set designer. He works with Andrea Moses in Estonia and for the intercultural festival SUPERUMBAU in Hoyerswerda, for which he also develops an installation. In 2003/04 he creates the much-praised work-in-progress cycle "The System" with Falk Richter. His sets have traveled the world for guest performances.

Jan Pappelbaum, 1966 in Dresden geboren, wächst in Leipzig (zu gewaltigen 2,07 Meter) auf. Durch seine Eltern – beide Schauspieler – lernt er früh die Welt des Theaters kennen. Dennoch entscheidet er sich 1988 zunächst – nach Abitur und Maurerlehre – für ein Studium der Architektur. In Weimar inszeniert er neben seinem Studium am dortigen Studententheater „artfremd", deren Mitbegründer und Leiter er auch ist. Eine Zeit, die mehr als nur erste Arbeitserfahrungen am Theater mit sich bringt, sondern vielmehr Lebensform und -inhalt bedeutet. Pappelbaum assistiert bei dem Bühnenbildner Dieter Klaß – unter anderem auch beim Kunstfest Weimar, wo er den Regiestudenten Thomas Ostermeier, Tom Kühnel und Robert Schuster begegnet. Die darauf basierenden Arbeitsverbindungen existieren zum Großteil bis heute. Pappelbaum gestaltet fortan die Bühnen für die Inszenierungen Tom Kühnels und Robert Schusters unter anderem am Berliner Maxim Gorki Theater, am Schauspiel Frankfurt und dem TAT, wo er auch als Ausstattungsleiter engagiert ist. Er entwirft für Thomas Ostermeier die Baracke am Deutschen Theater, wird 2001 Ausstattungsleiter an der Schaubühne am Lehniner Platz und zu Ostermeiers wichtigstem und prägendstem Bühnenbildner. Er arbeitet mit Andrea Moses in Estland und für das interkulturelle Festival SUPERUMBAU in Hoyerswerda, für welches er auch eine Installation entwickelt. Mit Falk Richter erarbeitet er 2003/04 den viel beachteten work-in-progress-Zyklus „Das System". Seine Bühnenbilder haben in zahlreichen Gastspielen die Welt bereist.